NONFICTION
論創ノンフィクション
037

COVID-19
僕がコロナ禍で考えたこと

森 達也

論創社

まえがき

二〇二二年一二月一五日、軍拡を進める中国の脅威と北朝鮮のミサイルを理由に、今後五年間で防衛関連予算を倍増させる方針と反撃能力の保有などが盛り込まれた安全保障三文書を、岸田政権は閣議決定した。

つまり、戦後ずっと守り続けてきた専守防衛に徹するこの国の安全保障政策が、国会審議もないままに閣僚だけの密室会議で、大きく転回した。

「敵基地攻撃能力」を言い換えた「反撃能力」とは、相手国が「攻撃に着手」した段階で基地や司令部中枢を攻撃する能力だ。でも「攻撃に着手」は、誰がどのように判断するのか。ミサイルが発射されてからでは遅い。ならばミサイル発射部隊が移動したときか。あるいは発射基地の兵士たちが増えたときか。このタイミングで攻撃するならば、それは先制攻撃と何が違うのか。

さらに、二〇一四年に安倍晋三内閣が閣議決定した集団的自衛権と敵基地攻撃能力を組み合わせれば、第三国から自国が攻撃されると見なしたアメリカから要請があれば、日本はその第三国に攻撃することになる。しかも、日本など旧枢軸国七カ国を「敵国」として規定する国連憲章第五三条および第一〇七条と第七七条は、「敵国」が攻撃してくるなら国連安保理の承認なしに、加盟国は先制攻撃できると定めている。

そもそもいまだに日本やドイツなどを「敵国」として扱う国連憲章がおかしいのだが（ほぼ死文化していることは確かだ）、条項はまだ残っているので論理的にはそうなる。ならば敵基地攻撃能力を日本が保有することは、日本国憲法だけではなく、国連憲章に違反しているとの見方もできる。これは、ドイツがウクライナに最新型戦車レオパルト2を供与することに慎重だった理由のひとつだ。

アメリカがベトナム戦争に介入したきっかけは、北ベトナム軍の魚雷艇三隻からアメリカの駆逐艦が攻撃されたとされるトンキン湾事件だ。直ちに反撃して一隻を撃沈したアメリカはベトナム戦争への本格介入を始めるが、北ベトナムの誤射と口実を探していたアメリカの謀略だったことを、後にニューヨーク・タイムズがスクープした。

満州事変の発端は、奉天近郊の柳条湖付近で、日本が経営する南満州鉄道の線路を中国軍が爆破したとされる柳条湖事件だ。反撃として日本は中国東北部全域を侵略して翌年に満州国を建国するが、これも関東軍による自作自演だったことが、戦争終了後に明らかにされている。

富士川の戦いで水鳥の羽音《はおと》を源氏の襲撃と勘違いした平家が一斉に敗走したエピソードは古典すぎるけれど、緊張が高まったときに冷静な判断ができなくなることを、とてもシンボリックに示している。

こうして戦争は起きる。ミサイル発射部隊が移動していた理由は、ただの演習だったのかもしれないのだ。でも攻撃した後に気づいてももう遅い。なぜ自民党の政治家の多くは、この程度の歴史すら学ばないのか。サイトカインストーム（免疫暴走）について書いた本書の記述から、以下に一部を引用する。


身体の中にウイルスなど異物が侵入したとき、細胞はたんぱく質の一種であるサイトカインを放出し、身体全体にアラームを発令する。しかし新型コロナウイルスに感染したとき、この免疫システムが過剰に発令し続けて止まらなくなる。

身体全体が戦場と化し、人はウイルスではなく自らの免疫細胞によって大きなダメージを受け、急性呼吸窮迫症候群（ARDS）など致死的な状態になってしまう。

新型コロナに感染した多くの重症患者にとって、最大の脅威となるのはウイルスそのものではなく、自らのセキュリティ・システムなのだ。

本書を刊行するための推敲作業で読み返しながら、この国は同じことをずっとくりかえしているのだと、あらためて実感した。新型コロナや戦争だけではない。これは社会全般のメタファーだ。

岸田政権による安全保障政策の大転回について、社会の反応は薄い。ニュース量として圧倒的に多いのは、防衛費を増額するための財源についてだ。そもそも適正で妥当なのかを議論すべき防衛予算増額が、いつのまにか既定路線になっている。

断定はできないが、本書が刊行されるころ、新型コロナが収束しかけている可能性は高い。終息ではない。それはありえない。収束だ。これから人類は、パンデミックのリスクは軽減したとはいえ、まだまだ大きな脅威である新型コロナと、半永久的に共存しなくてはならない。

だからこそ（特に慢性的な健忘症であるこの国と僕自身にとって）、この三年間の記憶と記録は重要だ。人は間違える。それは仕方がない。そもそもそれほど賢くない生きものなのだ。でもせめて、同じ過ちを何度もくりかえしたくない。その程度の知性は持ち合わせているはずだ。

これまで刊行された六冊の『定点観測 新型コロナウイルスと私たちの社会』に加えて、スピンオフというかおまけの位置にある本書も、パンデミックの恐怖におびえた三年間の記憶と記録に、多少の貢献ができることを願っている。

まえがきの最後に重要な補足。本書は論創社の『定点観測』シリーズに書いた原稿を中心に、同じ時期にいくつかの媒体に寄稿したものをまとめています。つまり内容的に重複する部分がある。申し訳ない。でも言い換えれば、重要だからこそ重複している。そう思いながら読んでください。

目次

I 不安

私たちが立ち会う『幼年期の終わり』

緊急事態宣言が発令される一週間ほど前から今日に至るまで、僕はほとんど家を出ていない。ウイルスに対して過剰に脅えているわけではないけれど、打ち合わせやシンポジウムや映画上映の舞台挨拶に大学新学期の授業も含めて、予定はすべて消えるかオンラインになった。だから外出する理由がないのだ。撮り終えたばかりの作品『i―新聞記者ドキュメント―』を招待していたイタリアやドイツなどいくつかの映画祭も、監督やプロデューサーについてはオンライン参加になった。

この日はしばらくぶりに家を出た。出歩く人は少ない。駅前の大型スーパーに行った。食料品のフロアは別にして、テナントの多くはクローズしている。昼なのに薄暗い。カップヌードルなど保存食の棚はほぼ空だ。人が少ない通路を歩きながらふと思う。この感覚と光景には見覚えがある。

生き残った罪責感

二〇一一年春、東北を襲った大地震と福島第一原発の爆発を契機に、首都圏の街からネオンが消えてコンビニやスーパーは一斉に薄暗くなった。保存食やトイレットペーパーなどの買い占めが問題になって、花見は自粛との声が広がり、多くの行事や予定が消え、出歩く人も少なくなった。

あのときの重苦しい感覚は、どうにも拭いきれない「後ろめたさ」に由来していた。家に閉じこもってテレビが伝える被災地の苛烈で理不尽な状況に吐息をつきながら、時には涙ぐみながら、自分や自分の家族は何の被害も受けていないし、暖かい布団でいつものように眠ることができる現実に混乱した。

そもそも福島の原発は、首都圏に電力を供給するために稼働していた。その原発がメルトダウンを起こして福島の人たちは生活を奪われた。それなのに電気を供給されていた自分は何の被害も受けていない。日常は何も変わらない。それでいいのか。いいはずはない。でも何をどうすればよいのかわからない。

この感覚を言葉にすればサバイバーズ・ギルト。生き残ったがゆえの罪責感。でも薄暗いスーパーやコンビニで買い物をしながら、奇妙な解放感があったことも事実だ。この国はそもそも電気を使いすぎていた。東京は世界で最も夜が明るい都市と言われている。繁華街の並木通りから電飾も消えた。歩きながら深呼吸したくなる。夜はやっぱり暗いほうが安心できる。電線と電球でぐるぐる巻きにされていた樹木も、心なしかほっとしているように見える。

この時点で日本の原発の数は世界第三位。でも一位のアメリカは国土が圧倒的に大きいし、二位のフランスにはほぼ地震がない。これほど狭くて地震ばかり起きる国で、五四基の原発はやっぱり異常だった。

その情報は隠されていたわけではない。警告を発している人もたくさんいた。でも自分は本気で捉えていなかった。声をあげなかった。これもまたやっぱり後ろめたい。悔しい。そして申し訳ない。結局のところ自分は沈黙することで、この国の原発政策に加担してきたのだ。

震災が起きてからほぼ二週間後、三人のドキュメンタリー監督とともに被災地に行って、それぞれが撮った映像をひとつに編集して映画にした。タイトルは『311』。もちろんテーマは「後ろめたさ」だ。

三人のうちの一人である綿井健陽《たけはる》から現地に行かないかと最初に連絡があったとき、家でずっとテレビを観続けていた僕は、地震と津波の衝撃に後ろめたさが重なってボロボロだった。明らかに鬱状態だったと思う。一回は断ったけれど、被災者ではない自分が鬱になっている場合ではないと考え直した。

とはいえ、やはり無理やりだった。それは他の三人も同様だったと思う。プロデューサーの安岡卓治が用意した五人乗りのワゴンで東北に向かいながら、四人は車中で寡黙だった。一番年下の松林要樹《ようじゅ》が、必死にしゃべっていたように記憶している。

カメラを手に津波に襲われた瓦礫《がれき》の町を歩きながら、福島第一原発に向かう国道で線量計の激しいアラーム音に全員で沈黙しながら、指定された除染スポットでポリエチレン製不織布の防塵服を脱ぎながら（白地に青いラインが入っているこの防護服は日本中の人が知っていると思うけれど、放射性粉塵の皮膚付着を防ぐことはできるが、放射線そのものは実のところ防げない）、ずっと考えていたことがある。

これを契機に日本は大きく変わるかもしれない。未来のエネルギーと称された原発によって国土は汚染され、多くの人が故郷を失った。これからはダウンサイジング。資源のない小さな国だ。だから身の丈に合わせる。振り返ればこの国は戦後ずっと、右肩上がりの消費経済と利便性ばかりを追い求めてきた。原発はその象徴だ。でも本当の幸福は違う方向にある。そんな国家にきっと変わる。

震災から八カ月が過ぎてブータンのワンチュク国王夫妻が来日したとき、この国の社会とメディアがとても熱狂したことは象徴的だ。ブータンはヒマラヤ山脈の東端に位置する人口約七〇万人の小さな国。決して裕福ではないが国民幸福量（GNH）は世界一。ここに自分たちの目指すべき方向がある。そう思った日本国民は少なくなかったはずだ。これから自分たちは軌道を換える。

でも結果として、この後ろめたさは持続しなかった。震災後に政権は民主党から自民党へと戻り、一時はすべて休止していた原発の再稼働が始まり、アベノミクスをキーワードに経済繁栄と過去の栄光を礼賛する傾向が強くなり、戦後復興と高度経済成長を体現した東京オリンピックの再度の招致まで現実になった。排外主義が強くなったのもこの時期だ。

そもそも後ろめたさを抱え続けることはつらい。忘れたほうが楽に生きることができる。さらに自分は当事者でないことに由来する感覚だから忘却しやすい。こうして震災後、高い支持率で支えられる安倍政権とともに、日本はまた（踊らにゃソンソンとばかりに）躍り出した。夜の東京は煌々《こうこう》と明るくなり（震災直後の電気が足りなくなるとの宣言は何だったのだろう）、オリンピックに向けていたるところで再開発が始まり、アメリカ追従の安全保障法制や集団的自衛権の解釈変更など強硬な採決を重ねながら、安倍政権は憲法改定の準備を進めていた。

そして震災からちょうど九年後、新型コロナウイルス（以下、新型コロナ）の脅威が現出した。

リスクとハザード

このウイルスについて甘く見ていたか深刻に捉えていたか。もしもそう質問されたなら、僕は明らかに前者だった。どこかで軽視していた。それは事実。そのうえで脅威について考えたい。

脅威にはリスク（危機的状況の度合い）とハザード（実際の危険性や有害性）がある。この二つは似て非なるものだ。

例えばマムシはハザードが大きい。もしも咬《か》まれたなら幼児や高齢者ならば命にかかわる場合がある。でも僕たちは日常生活でマムシを警戒して長靴を履いて外出したりしない。なぜなら都市部でマムシと遭遇する可能性はとても低い。つまりリスクは圧倒的に小さい。

この二つを冷静に見きわめることができなくなったとき、極端なセキュリティ意識が発動する。特に地下鉄サリン事件以降、この国のセキュリティ意識は急激に高揚し、社会は集団化を起こし、善悪二元化が進行した。仕分けされないままに同一化されたリスクとハザードによって、これまでは成り立ってきた社会システムの基盤が揺らぎ始めた。

あいちトリエンナーレの騒動や映画『主戦場』上映中止をめぐる論争など表現の自由の問題も、その本質は権力の検閲や抑圧ではなく、「万が一の事態が起きたら」とのフレーズが体現する過剰なセキュリティに端を発している。

公園や駅などのベンチにはホームレス排除のための仕切りが入り、往来には監視カメラが増殖した。多くの企業はＩＤ携帯を義務化して、裁判所や官公庁の出入りにも金属探知機などが導入された。これらはすべてオウム以降だ。

さらに近年、国内に飽和したセキュリティ意識は国の外に溢れ出し、周辺国すべてが仮想敵国に見えてきた。北朝鮮の実験用ミサイルの破片が万が一落ちてきたら、海を渡ってやってきたヒアリが仮に大繁殖したら、もしも会場で誰かが実際にガソリンを撒いて火をつけたら、おまえ（自分）はその責任をとれるのか。

北朝鮮の実験用ミサイルが日本上空を飛び越えたときの高度は四五〇キロだ。国際宇宙ステーション（ＩＳＳ）の軌道である四〇〇キロよりも高い。ほぼ宇宙空間。引力圏外なのだ。破片など落ちようがない。ヒアリの毒性と攻撃性は、日本の田舎ならどこにでもいるオオスズメバチに比べれば相当に低い。ガソリンを撒いて火をつけようと本気で考えたなら、脅迫電話や予告ファックスなどするはずがない。

そう理性や論理で説いても、肥大する不安と恐怖は聞く耳を持たない。万が一のリスクを本気でゼロに近づけようとするならば、人は家から一歩も出られなくなる。つまり究極のステイホームだ（それでもリスクはゼロにはならない）。

過剰なセキュリティは社会を壊す。その意識があったからこそ、新型コロナ報道が過熱し始めた二〇二〇年二月から三月中旬にかけて、僕はパンデミックの状況に対してかなり懐疑的だった。日々報道される新型コロナの発症者や死亡者などの統計を見ながら、日本だけでもインフルエンザで年間数千人から一万人ほどが死んでいるのに、これほど恐れる必要が本当にあるのだろうか、と思っていた。

……この時期に時おり妄想した。WHO（世界保健機関）の記者会見だ。実は新型コロナはフェイクでした。研究者が写真をいたずらで加工したら、未知のウイルスとして大騒ぎになってしまったようです。過剰に恐れる必要はありません。普通に生活してください。国会議員のマスク着用はこれ見よがしのうえにバカみたいです。積極的に濃厚接触しましょう。普通の生活に戻りましょう。

でも三月下旬、意識を変えた。特にこれというきっかけがあったわけではない。そもそも僕は、自らに対してのセキュリティ意識がかなり低い。要するに鈍いのだ。だから反応が人より遅れる。日々のニュースを見たりネットで防疫や感染症の専門家が書いた記事を読んだりしながら、じわじわと意識が変わってきた。これは妄想している場合ではないと気がついた。

リスクとハザードの公式は応用できない。だって新型コロナのハザードはまだ誰もわからない。未知なのだ。医療崩壊を起こしかけているニューヨークの現状や死体が多すぎて路上に放置されているというエクアドルの映像などをニュースで観ながら、人類はかつてない事態に直面していると（今さらだけど）実感する。

人類は滅びるのか

この事態は終息するのか。そもそも何をもって終息と見なすのか。現状をウイルスとの戦争と喩える人は多い。戦争ならば勝ち負けはとりあえず明確だ。だからウイルスに勝利する（根絶できる）と思い込んでしまう。でも根絶はほぼ不可能だ。

もしも人口の七割前後が感染して治癒したならば、その人たちは免疫を獲得するから、爆発的な感染拡大は止まる。しかし免疫は遺伝しないし、ウイルスはどこかに残り続ける。効果的で安全なワクチンを開発して大量生産できるまでは、少なくとも一年以上はかかる。あるいは何十年かかってもできないかもしれない。さらにウイルスは変異する。ならば免疫とワクチンの効力は大幅に下方修正される。

つまり終息はありえない。強いて言うならば収束だ。

第一次世界大戦中の一九一八年に始まったスペインインフルエンザ（スペイン風邪）のパンデミックは、当時の世界人口の二～三割が感染している。

この時代に抗生物質はまだ発見されていないし、ワクチンもない。ウイルス分離に成功したのはパンデミック後だ。だから対策は、患者の隔離や接触者の行動制限、個人衛生、消毒と集会の延期、学校など公共機関の閉鎖、そしてマスクの着用といった方法だけだった。

……記録を読みながら、ワクチンや重度の症状に対する臨床医療を別にすれば、対策は今とほとんど変わらないじゃん、と思う。もちろん隔離やマスクなどでは劇的な効果は現れない。スペインインフルエンザによる死亡者数は、全世界で一億人近かった（あるいは一億人以上）と言われている。

ならばどうやって収束したのか。実はまだよくわかっていない。ひとつの可能性としては、感染することによって体内で作られる中和抗体の作用と考えられる。ただしウイルスは消えていない。やはり世界的なパンデミックとなった一九五七年のアジアインフルエンザも二〇〇九年のインフルエンザ（H1N1）も、スペインインフルエンザのウイルスの子孫と同根だった可能性が高い。

つまりウイルスとの闘いに終止符はない。

ここで顕微鏡の接眼レンズから目を離して顔を上げる。いやウイルスは光学顕微鏡では無理か。とにかく顔を上げる。視点を変えたいのだ。新型コロナよりも致死率が高く、基本的に感染はしないけれど、いまだに有効なワクチンや治療法が確立できていない疾病は他にも存在する。悪性腫瘍。つまり癌だ。

人類は長く癌細胞と共存してきた。だからこそ癌に馴れた。想像してほしいが、もしもこの世界にそれまで存在していなかった癌が突然人類の前に現れたとしたら、致死率はきわめて高く全人類の半分以上が高年齢になれば発症する可能性があるのだから、今回の新型コロナよりも深刻な脅威になっているはずだ。

人の適応能力はとても強い。北極圏にも暮らしているし熱帯雨林のジャングルでも生活できる。こんな生きものは他にはいない（例外的な存在として、石器時代以降の人類とともに進化して様々な品種改良を施されてきたイヌがいるが）。だからこそ人類はここまで繁栄できた。

でも適応能力が強いということは、周囲の環境に自分を合わせる馴致《じゅんち》能力が強いということでもある。そしてこの能力は、時おり過剰に発動する。本来ならこれはおかしいとかいくらなんでもなどと思うべきなのに、そういうものなのだと自分を合わせてしまう。

つまりエティエンヌ・ド・ラ・ボエシが唱えた自発的な隷従。あるいはエーリッヒ・フロムの語彙ならば自由からの逃走。東アジア、特に日本民族は、この能力がきわめて強い。だから支配や搾取されることが得意だ。

さらにオウム真理教による地下鉄サリン事件以降、刺激された不安と恐怖が源泉となって集団化が加速して、この傾向は加速している。

人類の適応能力の強さをどのように評価するか。メリットもあればデメリットもある。でもウイルスとの歴史については、メリットの側面から考えたい。人類は未知のウイルスを根絶できないが馴致する。適応した社会システムをやがて構築する。

感染が拡大した主要因であるグローバリゼーションがこれほどに進展した理由のひとつは、冷戦が終わって資本主義という経済システムが世界的な秩序になったからだ。新型コロナだけではなくSARS（重症急性呼吸器症候群）も含めて、市場原理と海外展開を大幅に拡大した中国に感染症の多くが端を発していることは示唆的だ。

国民国家の超越

グローバリゼーションだけではない。人権を抑圧する可能性が高い緊急事態宣言によって、戦後日本がとりあえず保持してきたデモクラシーが窒息する可能性が大きくなった。そもそもデモクラシーの基盤は国民主権と弱者救済だが、感染がさらに拡大して医療崩壊が起きれば、究極のトリアージ（弱者切り捨て）が社会全般で恒常化する。

つまり近代国家の三種の神器ともいえる資本主義とグローバリゼーションと民主主義が、新型コロナによって存亡の危機に瀕している。併せて世界各国の政治リーダーも地金《じがね》を現し始めている。危機的な戦争状態になったときは、たとえ無能な政治指導者でも強気な姿勢を見せれば支持が高まることが普通だが（9・11後のブッシュ大統領のように）、新型コロナはそんなファンタジーを許さない。徹底して冷徹なのだ。

要するにグローバリゼーションの進展によって拡大した新型コロナが、グローバリゼーションに強くブレーキをかけようとしている。都市封鎖や他国との人の出入り制限が示すように、世界は今、ウイルスの封じ込めに必死だ。でもこれこそファンタジーだ。ウイルスの前に自国第一主義はありえない。スペインインフルエンザの時代にオーストラリアは、港における検疫、すなわち国境を事実上閉鎖することによって、ウイルスの国内侵入を半年遅らせることに成功し、その間にウイルスの病原性はかなり軽減する方向に変異した。でもこれは、人や物資の輸送が船だけの時代だったからできたこと。仮に日本だけで封じ込めに成功したとしても、世界のどこかに残っているのならリスクは減らない。

同じように自国第一主義が通用しない案件に気候変動があるけれど、これは目に見えづらい。だからドナルド・トランプのように頑迷な否定論者を説得できない。ところが新型コロナについては、「暖くなったらコロナウイルスは弱って消え去る」「消毒薬はウイルスに効くようだ」などと言っていたトランプですら、自身が感染してからはさすがに脅威を認めた。

主権国家という概念は一六四八年のウェストファリア条約によって始まった。つまり国家の歴史はまだ四〇〇年に届かない。この間に人類は月にも行ったし、国境をあっさりと飛び越えるネットを身近な存在にした。宇宙から地球を見下ろせば国境は見えない。でもウェストファリア体制以降、領地や領邦にとってかわった国家の境界は強まるばかりだ。

その国境線への挑戦としてEU（欧州連合）が発足したが、ブレグジット（イギリスのEU離脱）が示すように、その理念は自国第一主義の台頭で揺らぎ始めていた。

国が単位になるから人は争い続ける。ならば国境なんかなくなればいい。これも僕の妄想だった。でも新型コロナはこの妄想を現実化する可能性がある。もちろん国境がなくなるとまでは思っていないが、これまで大前提だった国への帰属意識が、地域や世界へと拡大するかもしれない。アーサー・C・クラークは、宇宙から来訪した究極の知性によって人類の精神の進化が次の段階に進むというSF小説を発表したが、その『幼年期の終わり』を、生命と非生命のあいだにある新型コロナが媒介して実現するかもしれない。

ならば到来する時代は本当の意味のグローバリゼーション。国境は意味を失い国民国家という概念が変わる。とはいえ混乱は必至。完全な終息が無理ならば、ウイルスと共存する覚悟を我々は持てるのか。馴致することができるのか。

防疫的な観点からは都市封鎖や社会活動の自粛は正しい。でも経済的な視点からはこれは自殺行為を意味する。どちらも人が死ぬ。二つの正義が衝突する。どちらも正しい。善悪二元ではない。だからこそこの二つを調整する政治が健全に機能しなくてはならない。

そのときの政治主体はやはり国家しかないのか。世界各国はともかく、この国の政治は後世にどのように評価されるのか。

僕の緊急事態宣言

いずれにせよ僕たちが今、大きな歴史の分岐点にいることは間違いない。これから予想されるのはアフリカにおけるパンデミック。衛生概念や環境どころか、手を洗う水すら満足に供給されない地域も多い。たくさんの犠牲者が出る。そんな状況は阻止したい。でも現状ではその見通しはない。

スペインインフルエンザの犠牲者数は、同時期の第一次世界大戦よりも多い。これほどに拡大した理由のひとつは、戦争当事国が情報を隠蔽して公開しなかったからだ。

政治権力は情報を隠す。これは万国共通だ。だからこそ情報を隠蔽する政治権力に対しての異議申し立ての価値は、今後はさらに大きくなる。心しなければならない。メディアは権力監視を怠らないこと。今後はさらに苛烈な状況が予測されるからこそ、弱者への視点をこれまで以上に大事にすること。世界の他の地域に暮らす人たちに対しての想像力を失わないこと。

セキュリティ意識に端を発する集団化について、僕はずっと異を唱え続けていた。なぜなら集団化とは分断化でもある。異なる集団同士で敵対し争う傾向が強くなる。でも分断しない集団化もある。複数ではなくひとつの集団になればいいのだ。

……もちろんこれも妄想だ。でも今僕たちが見ている光景は、かつて見たことがないけれど現実だ。ならば妄想も現実化するかもしれない。先を見よう。現在進行形の日常に過剰に馴致されるだけなら、きっとまた同じことをくりかえす。覚悟しよう。そのうえで生き残る。間違いなくこれから世界のシステムと意識は変わる。だから祈る。少しでもより良く変わりますように。これが僕の緊急事態宣言だ。

（二〇二〇年四月）

禍福は糾える縄の如し

二〇二〇年一月一六日、国内で初めて新型コロナ感染者が確認され、それから二〇日後の二月五日、クルーズ船「ダイヤモンド・プリンセス号」における集団感染が判明した。こうしてコロナ禍が始まる。ちなみに「禍」とは何か。日常語としてはほとんど使わない。『広辞苑』は以下のように説明する。

か［禍］クワ
わざわい。災難。
「禍福・禍根・水禍・筆禍・交通禍」

普通は戦争や天災に禍の字は使わない。なぜなら被害があって当たり前だから。つまり禍のニュアンスは、普通なら被害に直結しないものによってもたらされる大規模な災難。

最近は禍の使用例がもうひとつあった。六月に入ってからアフリカ、中東、インドなどを中心に、過去七〇年で最大規模とされるバッタの大発生が起きて、農作物は大きな被害を受けた。これをメディアはバッタ禍（蝗害《こうがい》）として伝えている。

普段は使わない漢字。でもコロナ禍はあっというまに日常語になった。特にメディアが好んで使う理由のひとつは、新型コロナとかウイルスとか感染とか発症とか、本気で説明しようとすれば多くの文字数を使わなければならない微細なニュアンスを、たったひとつの「禍」という文字で一括変換のように表すことができるからだろう（だから見出しに使いやすい）。

いずれにせよ普段は使わない「禍」が流通する現状は、「かつてない事態に自分たちがいる」ことが示されていると解釈できる。あるいは、普段は使わない「禍」を頻繁に目にすることで、「かつてない事態に自分たちはいる」との感覚が社会にフィードバックされ続けている、との見方もできる。

……とここまで、「かつてない事態」を前提であるかのように書いてしまったが、実はこれは正しくない。だって人類はこれまでパンデミックの脅威を、何度も体験してきている。決して「かつてない事態」ではないのだ。

ただしそれは個の記憶ではない。十字軍や応仁の乱やロシア革命と同じ歴史のひとつだ。特に日本は、近年のMERS（中東呼吸器症候群）やSARSでも大きな被害は受けていないし、ヨーロッパにとっては悪夢の歴史である（一説では半分以上の人たちが死んだ）ペストの災禍もほぼ体験していない。

情報はあっても実体験の記憶がない。つまりバーチャルなのだ。初めての視界。初めての感触。だからこそ（初めてVRゴーグルを装着した人のように）ずっと手探りで前に進んでいるような状況が続いている。

生きることは加害すること

コロナ禍が始まった時期、つまり一月から二月、そして三月にかけて、僕は現状と今後の事態について、相当に舐めていた。軽視していた。だって自分はもちろん、親戚や知り合いに発症者は一人もいない。脅威を実感できなかった。でも四月に入ってコロナ禍という言葉が新聞やテレビで使われ始めたあたりで、自分たちはこれまでなかった事態を迎えている、と気づき始めた。

ちょうどこのころから、僕はほとんど家を出なくなった。でもたまには気分を変えたい。

五月上旬、しばらくぶりに家を出た。出歩く人は少ない。駅前の大型スーパーに行った。店内は暗い。多くのテナントはクローズしている。カップヌードルやレトルト食品など保存食の棚はほぼ空だ。人が少ない通路を歩きながらふと思う。この感覚と光景には見覚えがある。

このときに抱いたサバイバーズ・ギルトについては、前項「私たちが立ち会う『幼年期の終わり』」でも書いた。重複申し訳ない。でもこの書籍にまとめる前には、半年置きの定点観測をコンセプトにした連載スタイルだったのだ。どうしても一部は重なる。

ちょうど九年前の春、東北を襲った大地震と福島第一原発の爆発を契機に、首都圏の街からネオンが消えてコンビニやスーパーは一斉に薄暗くなり、保存食やトイレットペーパーなどの買い占めが問題になった。震災後に日本列島を覆っていた重苦しい気分は、津波や原発爆発によって被害を受けた人たちへの共感や哀悼の感情だけではなく、どうにも拭いきれない「後ろめたさ」に由来していたと思う。

僕自身がそうだった。家に閉じこもってテレビが伝える被災地の苛烈で理不尽な状況に吐息をつきながら、時には涙ぐみながら、自分や自分の家族は何の被害も受けていないし、暖かい布団でいつものように眠ることができる現実に困惑した。

サバイバーズ・ギルトを翻訳すれば、「生き残ったがゆえの罪責感」だ。ホロコーストのサバイバーたちが抱く思い。自分はなぜ生きているのか。彼らはなぜ死んだのか。自分の生は誰かの犠牲によって成り立っている。生きることは加害すること。これに気づく。直接的な加害だけではない。あなたが食べるチョコレートの原料であるカカオ豆のプランテーションでコートジボワールの子どもたちが強制的に搾取されているように、あなたが応援していた小泉純一郎政権がブッシュ政権の嘘に結果として加担して多くのイラク国民が殺害されたように、間接的な加害行為はいくらでもあることに気づいてしまった。だからつらい。後ろめたい。

アウシュヴィッツからの生還者であるプリーモ・レーヴィは、この負い目を抱えると同時に、被害者となった自分たちユダヤ人が建国したイスラエルが、加害側へと一転してパレスチナの民を弾圧し殺戮する状況に異を唱えながら戦後世界を生き続けたが、この二つの重責に耐えられなくなったように自害した(事故死との説もある)。罪責感は自分をも蝕む。つらい。苦しい。だからレーヴィのように必死で抱え続ける人もいれば、さっさと手放して楽になって「美しい」とか「崇高だった」とか「気高い」などの語彙を安易に口走る人もいる。

かつての同盟国であるドイツと日本の現在が、自分たちの戦争責任だけではなく新型コロナ対策や政治リーダーへの評価も含めてこれほどに隔たりを持ってしまった理由のひとつは、罪責感を保持し続けたか手放したかの違いにある。

数年前の夏、ベルリン自由大学の学生たちとディスカッションする機会があった。ちょうど日本では、首相の靖国参拝問題が大きなニュースになっていた。だから一人の学生から、「八月一五日は日本のメモリアル・デーなのですか」と質問された。うなずく僕に「他に日本の戦争のメモリアル・デーはありますか」と別の学生が訊ね、「八月六日と九日。広島と長崎に原爆が落とされた日です」と答えた僕は、「ドイツのメモリアル・デーはナチスドイツが降伏した五月八日ですよね」と訊き返した。でも学生たちは首を横に振りながら、「その日はヨーロッパの祝日（戦勝記念日）ですが、ドイツにとって本当に重要な日ではありません」と答えた。「ドイツのメモリアル・デーは一月二七日と三〇日です」

それが何の日かわからず首をかしげる僕に、「連合国はアウシュヴィッツを一月二七日に解放しました。そして三〇日は、ヒトラーが首相に任命されて組閣した日です」と彼らは説明した。

僕はしばらく言葉がない。だって真逆なのだ。日本の戦争のメモリアルは自分たちの被害の体験と戦争が終わった日。そしてドイツのメモリアルは、自分たちの加害の体験とナチス体制が始まった日。この違いは大きい。とてつもなく大きい。

過剰に発動する馴致能力

特に地下鉄サリン事件以降、理解不能な犯罪と常軌を逸した報道に不安と恐怖を激しく刺激されたこの国のセキュリティ意識は急激に肥大し、集団化を進めながら見えない敵に脅え、善悪二元化が進行した。

公園や駅などのベンチに、あからさまな仕切りが入るようになったのはこの時期だ。今では日本中いたるところで仕切り入りのベンチを見ることができる。なぜ仕切りを入れるのか。横になれないようにするためだ。なぜ横になれないようにするのか。ベンチで横になるような人は、その共同体においては不審者だ。ならば排除したい。リスクを軽減したい。そうした思いを行政は反映する。こうしてホームレスたちは居場所を失う。補足するが、『A』発表以降に映画祭などで三〇以上の国を訪問したけれど、これほどに露骨な排除や蔑視の意思表示をするベンチを街で普通に見かけるのは日本だけだ。

飽和したセキュリティ意識は国の外に溢れ出し、中国と韓国に北朝鮮など周辺国すべてが、いつか自分たちを攻撃する仮想敵国に見えてくる。異物を排斥しようとする集団の振る舞いが、ヘイトスピーチとして顕著になったのも、やっぱりこのころだ。慢性的な不安と恐怖に耐えられなくなった集団は、見えない（存在しない）敵を無理やりに可視化しようとする。

こうして社会全般でサイトカインストーム（免疫暴走）が発動する。

身体の中にウイルスなど異物が侵入したとき、細胞はたんぱく質の一種であるサイトカインを放出し、身体全体にアラームを発令する。しかし新型コロナに感染したとき、この免疫システムが過剰に発令し続けて止まらなくなる。

身体全体が戦場と化し、人はウイルスではなく自らの免疫細胞によって大きなダメージを受け、急性呼吸窮迫症候群（ＡＲＤＳ）など致死的な状態になってしまう。

新型コロナに感染した多くの重症患者にとって、最大の脅威となるのはウイルスそのものではなく、自らのセキュリティ・システムなのだ。

生命の定義は自己複製とエネルギー代謝と外界との境界を持つこと。これはそのまま、国民の次世代が継承されて経済活動を行いながら国境を持つ国家に置き換えられる。免疫細胞の実行部隊としては警察や軍隊、そして多くの人が抱く自衛意識だ。特に二〇世以降のほとんどの戦争は、侵略ではなく自衛を大義にして起きている。

　しかも（ミャンマーの現状が示すように）統計的に軍隊は、他国の兵士よりも自国民を多く殺している。南北戦争やアイルランド独立戦争は広義の内戦だ。中国の六四天安門事件やカンボジアのクメール・ルージュによる大虐殺。軍のクーデターで数十万の国民が殺害されたインドネシアの九月三〇日事件。光州事件や済州島四・三事件でも軍が自国民を虐殺した。大日本帝国の軍隊も沖縄のガマから住民を追い出し、ソ連が対日参戦したときには国民を見捨てて敗走した。

　そろそろ気づいたほうがいい。少なくともミャンマー国軍や中国人民解放軍の現状の振る舞いを見るかぎり、非常時においては国民の命を外敵から守ることよりも、国内の治安維持や統制管理などの優先順位のほうが高いのだ。体内の免疫細胞も過剰な危機意識が発動したとき、敵と味方の区別がつかなくなる。暴走する。あるいは無力化する。その最悪な実例が癌だ。新型コロナと癌、現生人類にとって二つの大きな脅威の源泉は、外側よりもむしろ内側に存在している。

　群れる生きものは少なくない。イワシにメダカ、スズメにムクドリ、ヒツジにトナカイ、まだまだたくさんいる。彼らの共通項は弱いことだ。一人だと天敵に食われてしまう。だからいつも脅えている。特にホモサピエンスは弱い。翼はないし、二足歩行だから走っても遅い。練習しなければ泳げないし、爪や牙はすっかり退化した。

だから僕たちは、群れる本能がとても強い。

補足するが、群れる生きものであるからこそ言葉を発達させたホモサピエンスは、言葉や文字によって情報の伝播や継承を可能にし、現在の繁栄につながっている。つまり群れとは社会性。でも副作用がある。同調圧力が強くなることだ。特に不安や恐怖を感じたとき、群れようとする動き（集団化）は加速する。そして全員が同じ動きをするようになる。

イナゴ禍（蝗害）を起こすバッタの正式名称はサバクトビバッタ。彼らは通常は単独で暮らす。ところが干ばつが続いて餌になる草が減ったりしたとき、幼齢のバッタは残された餌場を求めて集まってくる。つまり集団（クラスター）化だ。このような環境で育ったバッタが生む次世代は、身体が大きくなって翅が長くなり、そして性格も狂暴になる。これを相変異という。群れとなったサバクトビバッタは、単独ではなく群れとして全体がひとつの生きもののように同じ動きを始め、食性も変わって共食いしたり他の虫や生きものを襲ったりするようになる。

水族館やテレビのドキュメンタリーで、ひとつの生きもののように整然と動くイワシの群れを、きっとあなたも見たことがあるはずだ。ただし、水槽に大量のイワシだけを入れても、実はあのような群れはできない。同じ水槽に大きな（イワシにとっては自分たちの捕食者となる）サカナを入れる。つまりセキュリティを刺激する。その瞬間に何千匹のイワシはひとつの群れとなる。

群れる生きものは、鋭敏な感覚で周囲の動きを察知して同調する。鋭敏な感覚と引き換えに言葉を得たホモサピエンスは、集団化とともに言葉を求め始める。つまり指示だ。「全体止まれ」や「右向け右」。指示に従って一斉に動く。こうして人々は強い指示を発する独裁的なリーダーを求め始める。ちなみに指示が聞こえないときはどうするか。リーダーの心中を想像して仮想の指示のもとに行動する。これが忖度だ。

地下鉄サリン事件以降に始まった日本の集団化は、二〇〇一年のアメリカ同時多発テロを契機に（その後のIS＝イスラム国の出現などを燃料にしながら）、世界規模に拡大した。日本に暮らす僕の視点からはそう見える。だからこそ今は世界中で、独裁的な傾向が強い政治家が強い支持を背景に、続々と台頭し始めている。多くの人はこれを右傾化というが、これは右傾化や全体主義化への前過程であり、正しい呼称は「集団化」だ。

こうして（最も民主的と言われたワイマール憲法下でナチスドイツ体制に移行したドイツのように）

民主主義的な手続きを経ながら、集団の最終形態である国家は独裁的で専制的な体制へと移行する。

集団化を言い換えればクラスター化であり、多くの分断も並行して起きる。独裁者は自らへの支持を維持するために敵を探す。いなければ無理やりに作り出す。そして自衛を理由に攻撃する。ドイツ系住民の保護と東方への生存圏を大義にポーランドに侵攻したナチスのように。欧米列強の脅威と大東亜共栄圏を大義にアジアを侵略した大日本帝国のように。ロシア系住民の保護とＮＡＴＯの脅威を理由にウクライナに侵攻したロシアのように。

ホモサピエンスはこれほどに進化しながら、なぜ今も野蛮な戦争と手を切れないのか。この命題に対して、闘争本能があるから、と説明する人がいる。ならば僕は反論する。それは逆だ。人を戦争へと導くのは、闘争本能ではなく、もっと強固な自衛本能だ。第二次世界大戦が終結した後も、無理やりに敵を可視化して間断なく戦争当事国であり続けたアメリカが典型だが、(冷戦によって)自衛意識が高まったときは敵がいない状態が不安になる。敵を作って攻撃したくなる。闘争したいからではない。安心したいからだ。あまりにも倒錯している。でもそれが人類の本質だ。

だからこそ新型コロナ報道が過熱し始めた二月から三月中旬にかけて、僕は状況に対してかなり懐疑的だった。これも無理やりに可視化した仮想敵のひとつではないのかとの思いを、どうしても払拭できなかった。でも四月から五月にかけて、僕は意識を変えた。

大きな歴史の分岐点としての現在

主権国家という概念は三〇年戦争終結後に締結されたウェストファリア条約によって始まった。それから三〇〇年以上、国を単位にしながら人は争い続けてきた。もちろん民族や宗教の差異も争いの大きな要因だが、国家というシステムは争いを加速はさせても抑制はしない。

ならば国境なんかなくなればいい。これは僕の妄想だ。でも新型コロナはこの妄想を現実化する可能性がある。だってウイルスを前にして一国主義は成り立たない。もちろん国境がなくなる、とまでは思っていないが、これまで大前提だった集団への帰属意識の最優先順位が、国から地域や世界へと拡大するかもしれない。

半世紀以上も前にジョン・レノンは国境がない世界を想像してごらんと歌い、その少し前に、宇宙から飛来した知性によって人類が幼年期から次の段階へと進むサイエンス・

フィクションをアーサー・C・クラークは発表した。

そして今、人類は新型コロナによってようやく進化する。次の段階へと進む。本当の意味のグローバリゼーションが現実となり、国民国家という概念が変わる。

……もちろんこれは妄想の延長。ならば妄想ついでにもうひとつ。群れの意味が変わるかもしれない。だって新型コロナは、まさしくクラスター（集団）を直撃する。怖いから群れる。群れるから相が変異する。でも新型コロナはクラスター化を許さない。ならば人類はどうするのか。ネットはその代替として機能するのだろうか。

国家を単位とする世界のあり方の変革。もう一度書くけれど妄想だ。願望であることも認める。しかも新型コロナを奇貨とする発想だ。不謹慎とそしられても仕方がない。

でも逆にいえば、こうした外圧でもないかぎり、人類は次の段階に進めない。もちろん、これ以上は進まなくていいとの選択もある。

思いは千々《ちぢ》に乱れながら、とりあえずここで定点観測の第一弾は終える。このメランコリックでペシミスティックな妄想は、第二弾でどのように変わるのか。あるいは変わらないのか。本音を書けば、変わってほしいと思っている。

（二〇二〇年七月）

II 破滅

［対談］ポストコロナの社会に求められているもの

吉岡忍×森達也

こういうときだからこそ社会の側に自律を

吉岡　コロナ危機が始まったとき、横浜港に入港したクルーズ船の感染防止に失敗しましたよね。振り返ってみれば、あれがその後のすべてを表していたな、という気がする。当初、政府・厚生労働省（以下、厚労省）は水際で防止すると意気込んでいた。でもどんどん感染が広がって、厚労省の専門家たちまでもが感染してしまった。

あのとき、クルーズ船内部の感染者・非感染者のゾーン分けのいい加減さを見た岩田健太郎さんが「このやり方ではだめだ」と指摘しましたよね。ところが、厚労省は写真まで公表して、「そんなことない。きっちり分けてやっている」と反論したでしょ。

その写真を見て僕は「こりゃだめだ」と思った。素人目で見ても、ラインと貼り紙があるだけで、感染者・非感染者がすれ違ったり、感染者と面会してきた服のままで入り混じったりしているんだもの。専門家もこの程度か、と唖然とした。あのどたばたぶりが、その後もずっと尾を引いて、ＰＣＲ検査や医療機関の防護品の不備にもつながっていった。ただ、だからといって僕は政府や専門家会議の揚げ足をとろうとは思わなかった。そういう政府を持っていることは不幸だけど、政府があろうとなかろうと、社会というものはある、こういうときだからこそ社会の側は自律的にやるべきこと、できることをやってみせることが大事だ、と思ったのね。

森　僕は、この状況やコロナそのものを最初のころは舐めていました。そもそもメディアと政治権力は不安や恐怖を煽る。視聴率や部数、そして支持率を上げるために。それは常にあることですから。特にオウム以降はそうした傾向が常態となっていた。でもさすがに時間の経過とともに、これは未曾有の事態なのだとの実感が追い付いてきた。

ただ同時に、現在も例えば致死率からいうと日本は非常に低いわけですね。もちろんＰＣＲ検査をきちんとやってないとか、「昨日東京で三人亡くなりました」は、何人調べたうちの三人なのか言わないとか、この致死率の低さをどのくらい信用すればよいのかわからない。そういえばアベノマスクは、いまだに家に届いていない。まさか緊急事態が解除されてもまだ届かないとは夢にも思わなかった。

とにかくみんなが口にするように、かつてない未曾有の事態です。いろんなことが普通ではない。「普通ではない」が前提だから、みんな麻痺しちゃっている。つまりジョルジョ・アガンベンが提起した「例外状態」の恒常化。そういう気持ち悪さはあります。

吉岡　この間、安倍首相はくりかえし国民への要請をしているけど、あの〝非科学性〟にも呆れたな。アベノマスクは、大山鳴動してマスク二枚か、と思わず噴き出しちゃったし、小中高校の一斉休校の要請も唐突だった。政府の専門家会議などが、新型コロナはとりわけ高齢者や持病を持っている人にダメージを与える、と盛んに注意喚起していたときに、医学的・科学的根拠をいっさい示さないまま、いきなり子どもたちの休校要請だったからね。どの学校も大混乱に陥った。

それに関連していうと、日本の教育現場はこんなにIT化が遅れていたのか、ということもはっきりわかった。中国・韓国でもヨーロッパでも、すぐにリモート授業に切り替えていたのに、日本はほとんどできなかったでしょう。各生徒に行き渡る端末がない。学校にもしっかりしたWi－Fi設備がない。教科書や教材のデジタル化も進んでいない。先生もリモートでどうやって教えればよいのかわからない。

文科省から現場の教員まで、教室で集団を相手に教えることが当たり前、という集団主義教育が骨の髄まで染み込んでいるせいだね。情報化社会が喧伝されて何十年にもなるのに、これほどまでに日本の教育は古いままなのかと、これも唖然としたことのひとつだな。

森　もしも集団主義教育がこれを契機に変わるのなら、コロナがもたらした奇貨のひとつになるかもしれないですね。確かに日本の学校教育におけるＩＴの浸透度は、韓国や台湾に比べればかなり遅れていました。ＩＴだけではなく、多数派に従属する傾向が強いから、それまでの慣習や習慣をドラスティックに変えることがなかなかできない国です。

でもそれがコロナで変わるかもしれない。行政や組織内の手続きで印鑑プロセスをやめようという動きが出ていますよね。どう考えたって、一〇〇円ショップでも買える印鑑よりもサインのほうが、アイデンティティを示すうえで有効なはずです。でも日本は印鑑を手放せなかった。世界でほぼ唯一残された戸籍制度もしかり。不合理であったり、不自由であったり、本来変えなければならないものがたくさんあって、それが今回一気に露呈した。逆説的に言えば、今後一〇〇年経っても変わらなかったかもしれないものが、一気に変わらざるをえない状況になるかもしれない。

第二次安倍政権が社会的現実に初めて直面

吉岡　考えてみれば、今回のコロナ問題は第二次安倍政権が社会的現実に直面した最初の例じゃないかな。七年半も政権の座にあって、アベノミクスや安保法制をやってきたといっても、だいたいは国会内の弱い野党に対応してきただけであって、社会に面と向かって政治を行ってきたわけではなかった。そして、いざ向き合ってみると、的外れ、スローモーな対応しかできていないことが見えてしまった。

かつて日本は、政治家がだめでも官僚がしっかりしているから大丈夫、と言われてきたけれど、今や厚労省も経産省も文科省もおたおたするばかり、その無力さも白日の下にさらされてしまった。この人たちに任せておいて大丈夫か、という心配が政権支持率の急激な低下に表れている。

森　安倍政権は高い支持率を背景に、「いくらなんでも」や「それはさすがに」をいくつも強引に破壊してきた。官僚支配の構造を変えようとした歴代政権は、民主党政権が典型だけど、ほぼすべて失敗する。

ところが安倍政権は官僚の人事権を官邸がグリップした。これは「いくらなんでも」です。今回の検察庁法改悪もそうですね。三権分立とか憲法順守などの気配がほとんどない。公文書を偽造したり捨てたりも日常化している。最低限の「いくらなんでも」のラインがほぼ消えてしまった。だから官僚がどんどん力をなくしている。

マスク二枚だって、経産省官僚だった佐伯耕三首相秘書官の入れ知恵だったと『週刊文春』が書いています。飴と鞭が巧妙です。そこはこらえるべき、という一線がない。その由来がよくわからない。反映されているのは安倍首相の無知なのか、あるいは剛直なのか。とにかくその帰結として、国がどんどん壊れている。

吉岡　コロナ危機もそうだし、東日本大震災のときもそうだったけど、世の中を揺るがす出来事というのは、その社会の底にあって、表面から隠されていたものが一気に露呈する。今回も緊急事態宣言の五〇日間、前後を含めるとこの三〜四カ月間、本当に日本の断面が見えたという感じだった。

冒頭で〝社会〟ということを言ったけれど、頼りない政府や官庁しか持っていないとしても、それを嘆いているだけでは、我々も指示待ちしているだけの無力な存在なわけでね。やはりここは社会の力を見せなければいけない。医師や医療関係者がこれまで培ってきた知見や技術の医学力、医療機器からマスクやトイレットペーパーまできちんと生産・供給できる産業力、軽度の感染者に隔離用の部屋を提供できるインフラ力、それにもちろん我々一人ひとりが感染しない、させない思慮の力。いろんな意味で、この社会全体の力量が試されていたと思うんですよ。

緊急事態宣言が発出された日、日本ペンクラブは「こういうときだからこそ、自由を」という趣旨の声明を出したんです。案文を書きながら、そういう弱さも含めた社会力、もっと言うと、戦後の日本が蓄えてきたはずの民主主義の力が試されているんだ、ということが頭を駆けめぐったんですね。

そういう中で、経済、特に街場の経済の弱さはずしっと来ましたね。東京と地方の違いはなく、外国人観光客が来なくなったとたん、ホテルも飲食店も商店も悲鳴をあげたでしょ。もうインバウンド消費がなければ、この国の経済はまわらないんだと。となれば、嫌韓・嫌中なんてますます言ってられないし、近隣諸国との外交をどうやっていくのか、きちんと考えないといけない。

グローバリゼーションや新自由主義が問われた

森　際立って見えてきたと思うのが、資本主義と民主主義とグローバリゼーション、つまり近代の三本柱に対する試練です。グローバリゼーションについては、これだけ人やモノの移動があるからこそパンデミックが起きたわけですね。民主主義はどのように脅かされるのか。ひとつはトリアージだと思うんです。もっと死者が出てきたら、結局は弱い人や階層が犠牲になる。明らかに命の優先順位はある。もちろん、これまでもあったけれど、それがはっきりと可視化される。すでにその兆候は出ています。誰から助けるのか。誰を優先するのか。救急医療の現場や東日本大震災のときなどは、やむなく発動するものだったけれど、これからはトリアージが社会全体に蔓延するかもしれない。

　ということは民主主義的ではないわけです。弱者を救済するだとか、小さな声を聞くだとか、一応多数決が大前提ですけれど、そういった形や民主主義的なものが一気に覆りそうになっている。集団化によって強硬なリーダーを求める傾向が加速して専制的な政治体制が増えていることも、民主主義にとっては脅威です。

さらに、世界に拡大したサプライチェーンの背景は資本主義経済です。だからこれはなかなか厳しい戦いになる……。戦いという言葉は使うべきじゃないけれど、そうなるとあらためて実感しています。

吉岡　その核にあるのは新自由主義イデオロギーでしょ。一九八〇年代半ばだったか、イギリスのサッチャー元首相が「社会なんてものはない。あるのは男と女と家族だけだ」と言い放った。じゃ政府は何のためにあるんだ、とツッ込みたくなるけど、その後の世界はまさにそのとおりに動いてきて、脱落するのは自己責任、弱者なんか知ったことかでやってきた。そこで社会を形成・維持するために必須の部門は、経済成長に役立たないとされ、どんどん削減されてきた。

ところが、コロナ危機に直面すると、新自由主義がいかに危ういか、それどころか危機をいっそう深めてしまうことがはっきりした。

森　それを日本で一番体現していたのが自民党と日本維新の会（以下、維新）ですね。自民党は国立感染症研究所の定員削減を行っていたし、維新は大阪の保健所や病院の統廃合を進めていた。今、維新というか大阪府知事が評価されているけれど、本来は彼らが、（もしあるとするなら）医療崩壊の元凶のひとつを作っています。

吉岡　日本だけでなく、アメリカもヨーロッパもそう。医療崩壊を最初に起こしたのは中国だったけど、中国こそ新自由主義の実験国ですよ。イタリアもイギリスもアメリカも惨《さん》憺《たん》たるさま、日本だって瀬戸際までいった。

僕はこのコロナ禍が明けたとき、我々は新自由主義の限界を見た、新自由主義を克服するんだ、というところまでいかないと、何も得たことにならないと思ってるんです。

そうなれば当然、再開される産業のあり方、それを支える思想は違うものにならなければいけない。

メルケル首相の演説と安倍首相の言葉

森　新自由主義の対極にあるものとして、ひとつは北欧型の福祉国家、もうひとつは、実験国としての側面もあるけれど、言い換えればまだこうした市場原理が完全に導入されていない中国です。これは強権的な統治国家に向かう可能性もまだ残されている。

吉岡　思い出すのは、ドイツのメルケル首相の演説かな。感染拡大が始まったとき、彼女はドイツ国民に向かって、公的生活を制限しなければならない事情をかなり率直に話しましたよね。「旅行や移動の自由は苦労して勝ち取られたものであるがゆえに、相当な理由がなければ制限できない権利だ」と言い、そのうえで「やはり今は制限せざるをえないのだ」と。この間の政治指導者の言葉としては、彼女の演説くらいしか思いつかない。

ここで言われていたことは、中国的な上からの強権主義ではなく、かといってもちろん新自由主義でもなく、「連帯」「社会」「公共」の重要性です。「知識」や「協力」についても言っている。そうしたビジョンによって危機を乗り越え、未来を語るのが政治家の本来の仕事であり、それに具体性をつけていくのが行政の役割だと思うんです。

森　東ドイツ出身のメルケルは、「私のように、旅行や移動の自由といった権利を苦難の末に勝ち取った者にとって、こうした制限が正当化されるのは、それらが絶対に不可欠な場合だけです」と前置きしながら、「命を救うためには、今こうした制限が不可欠なのです」と続けています。つまり彼女ならではの言葉です。

対して日本の菅義偉《よしひで》首相は記者会見で、空疎な言葉ばかりを使う。例えば数日前の緊急事態宣言解除の記者会見の冒頭も、「空前絶後」とか「オンリーワン」とか「次なるステージ」とか「夢」とか「感動」とか、ステレオタイプの言葉ばかり。そんな空疎な言葉をメルケルはいっさい使わない。

あとは今でもよくメディアで話題になるけれど、コロナ第一波の対策にとりあえず成功した韓国について、プライバシー権とか自由を強権的に制限したからこそできたことで、日本も同じようにすべきだとの声を時おり耳にします。でもこのあいだTBS「サンデーモーニング」で姜尚中さんが、「韓国は個が強いんです」というようなことを言っていた。だからこうした逸脱ができるのだと。まったく同意です。

これはメルケルのスピーチにもつながるけれど、政権が独裁的で自由を抑圧された時代が過去にあり、さらに民主化を自分たちの手で獲得したとの歴史があるからこそ、政治権力の暴走に対しては安易に許容しないし、例外的な状況を元に戻す力が働く。でも個が弱くて場に適応する力ばかりが強い日本でこれをやったら、おそらく復元しなくなる。

日本人の特性は「個」でなくて「集団」

吉岡 繁華街で開いている居酒屋やパチンコ店に行って落書きしたり、貼り紙したりって、こういう動きが出てくるというのは何なんだろう。

僕らは戦後世代だけど、戦争中ってこんな感じだったんだろうな、と感じたね。最初は群衆に隠れ、暗闇にまぎれ、匿名でやっているうちに、だんだん味を占めて大声になり、軍部や政府の威を借りて威張り散らすようになる。

森　戦争ももちろんだけど、九七年前の関東大震災の後の朝鮮人虐殺。妻や子や同胞を守るという大義に酔いしれて、自警団という集団の一部として朝鮮人狩りを始めて、大勢を殺戮した。その歴史的教訓を噛みしめていない。

今はもちろんメディアも進化して、あそこまでに至ることはさすがにないかもしれないけれど、内実は何も変わっていない。

個が弱い日本人は、僕や私などの一人称単数ではなく、自分が帰属する集団を主語にしてしまう。ならば集団の利益が優先されて、個が目に入らなくなって大きな過ちを犯す。気質が似ているところがあるドイツ人も同じ失敗をしているけれど、自分たちの負の歴史をしっかりと胸に刻み続けている。そこが大きな違い。

特に安倍政権になってから、この国は負の歴史を否定する傾向が、さらに強くなった。リーダーがまさしくその典型ですから。

吉岡　とはいえ、今回はクルーズ船に入っていって、このやり方じゃだめだと言う専門家もいたし、医療崩壊寸前までいった病院でも、医師や看護師たちが「マスクもありません。

防護服の代わりにゴミ袋をかぶってやってます」と訴えたりした。中国でも、医者や作家が必死に語っていた。これが大事なんですよ。

もちろん、そうした声を届けるマスメディアの働きも大事。この間、テレビも新聞もコロナ報道一色になって、今日は感染者何人、死者は何人、と発表モノも多かったけれど、でも、医療現場のナマの声を伝えたり、自粛閉店した店の経営者や従業員の実情を伝えたり、けっこう独自取材のレポートもあった。

森　もちろん、日本社会にも個はいます。でもこれだけメディアが進化すれば、その個がもっといていいはずなんだけれど、なかなか発言できない。SNSでも政治的な発言にはバッシングが押し寄せる。

つい数日前、SNSで炎上して、誹謗や中傷で追い詰められた女子プロレスラーが自殺しました。木村花さん。本当にいたましい。自分の名前や顔を出さない人たちが、言葉の暴力を振るう。コロナにおける自粛警察とつながってる部分があるような気がします。

ネットの中の匿名性が、日本は突出して高い。総務省の『情報通信白書』によれば、Twitterの匿名率は七五%。アメリカやイギリス、韓国やフランスなどほとんどは三〇%台です。

匿名性が高いということは、イコール集団性が高いということで、それはやっぱりこの国の大きな特徴だと思う。もちろん集団を全部否定するわけではなくて、そのメリットもあります。例えば高度経済成長。あれは企業という集団の力です。この時代によく使われた言葉は企業戦士。そして戦争の時代には皇国兵士。共通することは滅私奉公。個を捨てて奉公する。自分が帰属する集団に。企業戦士は日本経済を復興させたけれど、でも弊害も大きい。集団は暴走するんです。

もちろん集団化は人類全般の属性です。だからこそホモサピエンスは、言葉を発明して文化や技術を伝播して継承し、人類はこれほどに繁栄できたわけだけど、コロナはまさしくクラスター（集団）を直撃するわけで、これは人類の大きな転換点になるかもしれないと考えています。

吉岡　僕は名前を出してやることの大事さを感じると同時に、ある場合には匿名でしか発言できない場合もありえると考えているので、SNSはすべて名前を出すべきだという論には与《くみ》しないんだけれど……。

森　すべてとは言ってないです。正当な内部告発など、ネットの匿名性が重要な要素であることも確かです。

吉岡　検事長の定年延長問題を見ていても、芸能人が批判をすると一斉にそれを攻撃するという動きが起きたじゃないですか。でも、ああいうのを見ていて少し変わってきたなという感じもするんです。みんなそんなに恐れなくなった。
昔、東京で暮らしていた香港人に「日本にはタレントはいっぱいいるけど、アーティストがいないですね」と言われて、ムッとしたことがあった。でも、言われてみればそのとおりで、タレントはたいていい世の中のことを考えていない風だった。それに比べると、風向きは少し変わってきた。

湧き上がった「いくらなんでも」の思い

森　安倍政権の功罪の功ですね。つまり抑え込まれてきた「いくらなんでも」とか「さすがにそれは」という気持ちが、コロナ禍ということもあって湧き上がってきた。
まあでも、芸能人とかタレントだけではなくて、日本って昔から政治の話と宗教の話はパブリックスペースではやめようとか、そういう意識がずっとあるからそれが拡大解釈されて、公人がそういうこと言ってはいけないとか、そういう風土になっちゃったのかなと思いますね。

吉岡　その「いくらなんでも」が大事なんだよ。僕はいくつか市民運動にもかかわってきたけど、市民運動とかNGOって、理念で動いていると思ったら大間違い。「いくらなんでも、これはひどい」というところがないと、僕も含めて動かないんですよ。どこからが「いくらなんでも」になるかの基準の問題はありますが、今度の検事長定年延長問題はどう考えても「いくらなんでも」のレベルだった。そこが言えるようになったのはいいことじゃないかと思う。おまけに賭け麻雀の話まで飛びだしてきたのは、この「いくらなんでも」というカンみたいなものが、あんがい正鵠《せいこく》を得ていることもわかってきた。

森　もちろん。そちらの方向に変わってくれればそれは新たな進化になります。

アーサー・C・クラークは初期の代表作『幼年期の終わり』で、地球に宇宙から到来した知的生命体が人類の新たな進化を促すというストーリーを提示しました。これが後に、『2001年宇宙の旅』のモノリスになるのだけど。

これはポジティブすぎるかもしれないけれど、コロナによって人類は進化するんじゃないかなと夢想しています。進化とは要するに突然変異と環境による自然淘汰です。まさしく今、僕たちの日常が突然変異してしまったわけで、それに適応できなければ淘汰されるしかない。

集団化という属性がどのように変わるかということも含めて、僕は国民国家的な概念が変わるんじゃないかなどと思っています。国の垣根が意味をなさなくなってきた。世界中同じレベルで、アジアもヨーロッパもオセアニアもアフリカも小さな島国も含めて、ウイルス対策は等しく必要です。一国主義は成り立たない。自分たちの国で感染者がいなくなってもアフリカで感染者がいたら、結局リスクは軽減しない。これを実感すれば、国民国家を単位とする世界の構造というか意識は、まあもちろんゆっくりとですが、変わるんじゃないかと思っています。……やっぱりポジティブすぎるかな。

ホワイトカラーの経験したことのない危機

吉岡　その前に大きな経済的危機、これまで経験したことのないような種類の危機がくるんじゃないか、と僕は思っている。はっきり言うと、ホワイトカラーの危機ですね。
新自由主義は非正規労働者や派遣労働者を大量に生み出し、この層を踏み台にして労働力需給を調節し、人件費・固定費を抑えてきた。しかし、これでいくらやっても目先の好不況はやり過ごせても、生産性は全然上がらなかった。そうこうしているうちに日本の従業員当たりの生産性はどんどん下落し、バブル崩壊以降はＯＥＣＤ（経済協力開発機構）三六カ国中、ずっと二〇位あたりを低迷しています。

労働現場を見ればわかるけれど、非正規労働者も含めて日本のブルーカラーは本当によく働いています。それより問題なのは、本社などのホワイトカラーでしょう。みんな会議や書類作りで忙しそうにしていても、生産性のどこに貢献しているのかわからない。

ところが、今度のコロナ禍とテレワークの普及で、無駄の多いその構造が誰の目にもはっきり見えてしまったのではないか。事業を再開したとき、目端の利く企業経営者だったら、今度はホワイトカラー層を削減することを考えますよ。

今アメリカは失業率が二〇％までいくだろうと言われていますが、日本だって他人事ではない。三％前後から、隠れ失業まで含めると一〇％を超えるかもしれない。これは深刻な事態です。ホワイトカラーにとって仕事とは何か、生活するとはどういうことか、アイデンティティの問題まで広がって、社会を揺るがす事態です。はたして僕らにその現実に向き合う準備はできているんだろうか。

森　構造も大きく変わるでしょう。たまたま今日聞いたのだけれど、この二カ月で女性の離職率がかなり高くなったそうです。要するにシングルマザーとか共働きであったりとかの場合、「この子は私が見るしかない」と言って会社を辞める。

日本のジェンダーギャップ指数の低さは、以前から指摘されていました。こういうときに女性に全部しわ寄せがくる。

吉岡　旧に復したら構造が温存されてしまうから戻らないほうがいいんだけれど、そこで軋轢に巻き込まれた人たちは本当に大変ですよ。

それと、ライブハウスやミニシアターとか、図書館や博物館とかの役割が、この間よく見えた気がする。自粛を迫られ、経営はますます厳しいですが、私営・公営それぞれ各地にたくさんあって、広い意味での文化の多様性を作り出す拠点になってきた。こういう施設がなくなったら、社会はフラットになって退屈なものになってしまう。コロナ禍をしのいで、何とか復活してもらいたいと強く思うな。

文化をめぐる新しい動きも

森　吉岡さんの話を聞きながら思い出したけれど、メルケルも「連邦政府は芸術支援を優先順位リストの一番上に置いている」とスピーチしています。それに国民も同意する。だからドイツを含めヨーロッパのライブハウスやミニシアター、あるいはアーティストなどは、相当に手厚い庇護を受けている。でも日本の場合は圧倒的に少ない。

コロナ禍が収まったとしても、例えば映画館が元通りの形でできるかといえば、現状ではそれは難しい。一つひとつ席を空けることが定着したルールになるならば、小さな劇場やライブハウスは存続できないです。さっき吉岡さんが、企業の社会構造形態がとんでもないことになるぞ、と言っていたけれど、まさしくこういう分野も同じですね。

映画関係者とか演劇や音楽の表現者たちが集まって、つい先日も〝We Need Culture〟という運動を立ち上げました。渡辺えりさんや小泉今日子さんがMCを務め、配信で訴えかけるというイベントがありました。本当は政府など行政機関がもっと積極的に動かなければいけない。僕はさっき悲観的な言い方をしたけれど、でも構造とともに人々の意識も変わるわけで、今はそこに希望を持つしかないかな。

吉岡　それが社会の力というものだと思う。僕らは税金も払っていて、当然政府に要求する権利はあるけれど、もう一方で、政府対国民という関係性を抜け出し、政府なんかなくても十分やっていける、という力を蓄えないといけない。政府がやってくれないからできませんでした、とギブアップしたら、我々の戦後七五年は何だったんだということになってしまう。

もちろん政府は文化領域をもサポートすべきです。だけど、そんなセンスがないこともわかっていて、では、どうするのか。そこを考えないと、漫然と非常事態下の五〇日間をやり過ごしていました、で終わっちゃう気がする。それはまずいですよ。

(二〇二〇年七月)

私たちはずるずると泥道を滑り落ちている

安倍政権下における緊急事態宣言から一カ月強が過ぎた二〇二〇年五月、家にこもり続けることに疲弊しかけた僕は数週間ぶりに駅前の大型スーパーに行き、薄暗い店内と出歩く人の少なさ、さらに多くのテナントがクローズしている光景を見ながら、この九年前に起きた東日本大震災直後の感覚を思い出した。それを言葉にすればサバイバーズ・ギルト。生き残ったがゆえの罪責感。あるいは原罪に近い感覚への回帰。『定点観測 新型コロナウイルスと私たちの社会 二〇二〇年前半』（以下、『定点観測1』）の原稿はそこから始まった。

補足するが、僕が暮らしているエリアは東京都下ではなく、東京近郊の県の小都市だ。いや小が付いたとしても、この規模で都市とは言えないか。駅前に大型スーパーはあっても、家の周囲は広々と続く畑と田んぼだ。夏ならばヒートアイランドで蒸されたような都心から夜に帰ってきて駅舎から外に出ると同時に、外気が涼しいことに驚く。明らかに都会とは別世界だ。

『定点観測1』を執筆した五月から半年以上が過ぎた一二月下旬、駅前の同じスーパーに行った。人はやっぱり少ないが、五月にクローズしていたテナントのほとんどは再開している。ただしすべてではない。一時休業ではなく完全にクローズしたテナントもある。

スーパーを出て駅周囲を歩き、思わず足を止める。時おり揚げたてのコロッケを買っていた惣菜屋が、いつのまにか閉店している。閉じられたシャッターに貼られた紙には、「長いあいだありがとうございました」とマジックの手書きで記されている。

二カ月くらい前にこの道を通ったとき、惣菜屋は店を開けていたし、出歩く人はもっと多かったはずだ。でもその後にコロナ第三波が押し寄せてきて、ここまで持ちこたえてきた最後の体力が尽きたように、店はひっそりと消えた。

生きものの進化における根本的なメカニズムである自然淘汰(ダーウィニズム)は、環境の変化に適応できる生きもの(遺伝子)は生き残り、適応できない遺伝子は滅びると説明する。つまり惣菜屋は、コロナ禍という環境に適応できない遺伝子として淘汰された。

シャッターが下りた店の前で考える。揚げたてのコロッケやきんぴらごぼうは不要不急の存在なのか。一面的にはそうだ。でも大型恐竜が繁栄していた時代ならともかく、現在の人類(ホモサピエンス)を取り巻く環境因子の由来のほとんどは、都市部と郊外で気温が違うように決して自然一〇〇%ではなく、人為的な目論見によって設定されている。つまり惣菜屋が消えた理由は、自然淘汰ではなく社会淘汰なのだ。

世界中でこうした変化が可視化されつつある。『定点観測1』で、上野千鶴子は自らの論考の助走として、「目の前で起きていることは次のふたつだ。第一は非常時には平時の矛盾や問題点が拡大・増幅してあらわれるということ。第二は、すでに起きていた変化が、危機によって加速するということ」と書いているが、これはまさしくコロナ禍の社会における本質を言い当てていると同時に、定点で観測することの意義と必然性をも示している。社会の淘汰圧が働いているのなら、その社会を構成する一人ひとりが、その圧の正当性や副作用について必死に熟考することが何よりも重要だ。

しかし可視化されつつある変化に対して、日本に暮らす多くの人たちは、立ち止まったり吐息をついたり首をかしげたりする傾向(つまり現状に対する摩擦係数)が、あまりに低すぎると思うのだ。

自発的隷従と同調圧力、無自覚な自粛と自主規制

九月から一一月にかけて、日本はＧｏ Ｔｏキャンペーンで賑わっていた。僕もその恩恵を受けた一人だ。この時期に限れば、大阪や名古屋や山口などに仕事で何度か足を運んだ。ローカル線を乗り継いで四国の高松にも行った。新幹線はけっこう混雑していた。ホテルのロビーや飲食店にも観光客と思われる人は多かった。多くの人が国内で移動していた。明らかにＧｏ Ｔｏ効果だ。

自分も同じように動いていたのだから、この時期に移動していた人たちについて批判などできない。でも違和感はあった。特に九月の四連休中、日本各地の観光地は大混雑で高速道路は大渋滞。多くの人が外に出る。行楽地はクラスターどころではない。京都など観光地は外国人観光客がほぼいないのに、コロナ前を上回るほどの人出となっている。

テレビの画面に映る嵐山の渡月橋の上は、通勤ラッシュの電車内のように混雑していた。テレビの取材クルーからマイクを向けられた年配の男性が、ずっと我慢していたからねえ、と嬉しそうに笑う。

ニュースを観ながら考えた。この移動と混雑で感染率は上がる。第三波が始まる。誰だってそう思うはずだ。そして現実にそうなった。緊急事態宣言が発出される。ちなみに四月の緊急事態宣言の際には、多くのメディアは「発令」という言葉を使っていた。でも今回は「発出」をよく目にする。「副作用」という言葉がいつのまにか「副反応」になっているように、それなりの理由はあるのだと思う。調べればわかる。でも変化の過程において、多くの人はいちいち立ち止まらない。だって周囲の動きに取り残される。とにかくみんなと同じ言葉を使う。みんなで動く。同じ方向に。同じ速度で。しばらくの自粛期間が過ぎれば、また政府が観光や消費を呼びかける。Ｇｏ Ｔｏ再開。そのたびに人々は従順に動く。そのくりかえし。

つまり誰も自分で考えていない。行動の規範は下される指示（要請）と周囲の動き。ひたすらこれに同調する。ところが要請する政府の側も、支持率が下がればあわててＧｏ Ｔｏ停止を発表した菅首相が端的に示すように、やっぱり誰一人深く考えていない。

今のところこの国の政府の要請に、他国のような強制力はない。でもほとんどの国民が従う。無理やりではない。建て付けとしてはあくまでも自由意志。だから補償や給付という発想が貧困になる。その不満や鬱憤が無意識な領域で飽和して、スケープゴートが欲しくなる。僕が住んでいる田舎の町ですら、近くに誰もいないのにマスクを着用して歩かないと遠くからの視線が気になる。明らかに突き刺さる。相互監視の空気が強くて、全体と同じ動きをしない誰かを攻撃する。

最近の世論調査では、感染症対策で個人の自由を制限することに、八〇%以上の人が賛同しているという。もしも罰則規定が具体化されるなら、（論理的には補償や給付が先行すべきと思うが）今後はラベリングがさらに加速する。罰則を受ける人は国の指示や要請に従わない人。つまり非国民だ。あるいはみんなのルールに従わない人。ならば集団の異物になる。不審者か犯罪者だ。最近流行りの語彙ならば、テロリストと呼ばれるかもしれない。

もしも自由と安全の二者択一を迫られたら、多くの人は躊躇なく安全を選ぶ。例外は誰だろう。ムーミン谷に春と夏と秋だけ暮らすスナフキンは音楽を愛する孤独な自由人で、「この公園の中に入るべからず」などの立て札を死ぬほど嫌っている。普段はあれほどクールなのに、怒り狂って立て札を引き抜くのだ。彼ならば安全よりも自由を選ぶだろうな。でもムーミン谷でみんなから愛されるスナフキンは、定職を持たないホームレスだから、今の日本社会なら間違いなく不審者として通報される存在だ。

多くの人はスナフキンとは違う。安全第一だ。雪崩《なだれ》を打つように自由からの逃避が始まる。共通するキーワードは自発的隷従であり、同調圧力に無自覚な自粛や自主規制だ。

破滅というもののひとつの姿

二〇二〇年九月から一一月にかけてのコロナ感染者の数は、八月の第二波時に比べれば確かに減少はしていたけれど、決して劇的に減ったわけではない。ヨーロッパなど他国では厳しい状況がこの時期も続いていたし、何よりもコロナは感染症だ。ならば気など抜けるはずがない。

ＧｏＴｏトラベルにＧｏＴｏイート。外出自粛と休業要請で疲弊した景気と経済を再興させることを目的とした経済政策。それはわかる。でも違和感を拭えない。経済を再興させるために消費は重要だ。それもわかる。でもやっぱり何かが引っかかる。

……たぶんこれでは終わらない。また感染は広がる。でも足は止まらない。そしてまた自粛の時期に入る。ルールに従わないならば罰を与えなければいけない。そうした気持ちが強くなる。それはほぼ予想できる。でもやっぱり足は止まらない。このままではまずいと意識の片隅で思いながらも、気がつけば先に進んでいる。

こうして人は過ちを犯す。取り返しのつかない事態を迎える。
今からおよそ一〇〇年前、学校からの帰り道に梶井基次郎は、雨上がりの崖を降りようとしていた。近道だからだ。でも泥は滑る。このままでは崖から落ちるかもしれない。意識のどこかでそう思いながら、なぜか梶井の足は止まらない。そして案の定、崖を降り始めてすぐに、靴はずるずると下に滑り始める。

しかし自分はまだ引返そうともしなかったし、立留って考えてみようともしなかった。泥に塗《まみ》れたまままた危い一歩を踏み出そうとした。とっさの思いつきで、今度はスキーのようにして滑り下りてみようと思った。身体の重心さえ失わなかったら滑り切れるだろうと思った。鋲《びょう》の打ってない靴の底はずるずる赤土の上を滑りはじめた。二間余りの間である。しかしその二間余りが尽きてしまった所は高い石崖の鼻であった。その下がテニスコートの平地になっている。崖は二間、それくらいであった。もし止まる余裕がなかったら惰力で自分は石垣から飛び下りなければならなかった。しかし飛び下りるあたりに石があるか、材木があるか、それはその石垣の出っ鼻まで行かねば知ることができなかった。非常な速さでその危険が頭に映じた。

石垣の鼻のザラザラした肌で靴は自然に止った。それはなにかが止めてくれたという感じであった。全く自力を施す術はどこにもなかった。いくら危険を感じていても、滑るに任せ止まるに任せる外はなかったのだった。

飛び下りる心構えをしていた脛《すね》はその緊張を弛《ゆる》めた。石垣の下にはコートのローラーが転がされてあった。自分はきょとんとした。

どこかで見ていた人はなかったかと、また自分は見廻して見た。垂れ下った曇空の下に大きな邸《やしき》の屋根が並んでいた。しかし廓寥《かくりょう》として人影はなかった。あっけない気がした。嘲笑《あざわら》っていてもいい、誰かが自分の今為したことを見ていてくれたらと思った。一瞬間前の鋭い心構えが悲しいものに思い返せるのであった。

どうして引返そうとはしなかったのか。魅せられたように滑って来た自分が恐ろしかった。――破滅というものの一つの姿を見たような気がした。なるほどこんなにして滑って来るのだと思った。

（梶井基次郎「路上」）

福田村の虐殺を劇映画化

二〇二〇年の一一月に四国の高松に行った理由は、映画のシナリオ・ハンティング（シナリオ作成のための現地調査）が目的だった。別件の仕事で滞在していた大阪からローカル線で高松に向かう。現地で東京から（Ｇｏ Ｔｏを使って）空路で来たスタッフたちと合流する。

念のため書くがドキュメンタリーではない。僕にとっては第一作となる劇映画だ。

そもそもの発端は、昨年（二〇一九年）のキネマ旬報ベスト10の授賞式の控室で始まった。自らの脚本を監督した『火口のふたり』でこの年の日本映画作品賞ベスト1を受賞した荒井晴彦が、『i―新聞記者ドキュメント―』で文化映画作品賞ベスト1を受賞した僕のすぐそばに座っている。映画業界では大先輩というだけではない。数々の受賞歴を持つと同時に強面でも知られている巨匠だ。緊張して初対面の挨拶をする僕に、「福田村事件の映画化を考えていると聞いたのだけど」と荒井は言った。

「考えています」

「俺たちもだよ」

俺たちとは誰だろう。そう考える僕に、一緒にやらないか、と荒井は言った。

以下はあとで知ったことだけど、中川五郎の歌「一九二三年福田村の虐殺」で福田村事件について知った荒井は、これは映画にすべきだと考えた。そして中川が「一九二三年福田村の虐殺」を作詞作曲したきっかけは、この事件について二〇年近く前に僕が書いた『世界はもっと豊かだし、人はもっと優しい』(初版は晶文社。現在はちくま文庫所収)を、彼が読んだからだ。つまり知らないうちにループしていた。そのループの先端が、キネマ旬報ベスト10授賞式の控室で出発点に重なった。

福田村事件とはどんな事件なのか。どのような虐殺だったのか。二〇年近く前に書いた文章の一部を引用する。

大正一二年九月六日、関東大震災から六日過ぎたこの日、千葉県葛飾郡福田村(現・野田市)で事件は起きた。大八車に日用品を積んだ一五人の行商人の一行がこの地を通りかかった。福田村三ツ堀の利根川の渡し場に近い香取神社に彼らが着いたのは午前一〇時ごろ。

この行商人の一行は五家族で構成されていた。一人が渡し場で渡し賃の交渉をするあいだ、足の不自由な若い夫婦と一歳の乳児など六人は鳥居の脇で涼をとり、一五メートルほど離れた雑貨屋の前で、二十歳台の夫婦二組と二歳から六歳までの子どもが三人、二四歳と二八歳の青年が床机に腰を下ろしていた。交渉が始まってすぐに、渡し場が殺気だった。「言葉が変だ」と船頭が叫ぶ。突然半鐘が鳴らされ、駐在所の巡査を先頭に、竹やりや鳶口、日本刀や猟銃などを手にした数十人の村の自警団が、あっというまに現地に集まった。

「日本人か？」

「日本人じゃ」

「言葉が変だ」

「四国から来たんじゃ」

そんな会話があったと生存者は証言している。命じられるままに君が代を唄わされたが、それでも殺気だった男たちは納得しない。巡査が本庁の指示を仰ぐために現場を離れたとき、突然男たちは行商人の一行に襲いかかった。乳飲み子を抱いて命乞いをする母親は竹やりで全身を突かれ、男は鳶口で頭を割られ、泳いで逃げようとした者は小船で追われて日本刀で膾《なます》切りにされた。

（拙著『世界はもっと豊かだし、人はもっと優しい』ちくま文庫）

惨劇はしばらく続き、雑貨屋の前にいた九人は全員殺された。そのうち一人は妊婦だ。鳥居の側で茫然と事態を見つめるしかなかった六人は、針金や縄で後手に縛られ、川べりに引き立てられた。殺気立った自警団の男たちが縛りあげられたままの六人を川に投げ込もうとしたとき、馬で駆けつけた野田署の警官が事態を止めた。しかし遅すぎた。この時点で河原には、女子《おんなこ》どもを含む九つの惨殺死体が転がっていた（死体は川に投げ込まれていたという説もある）。

殺戮の現場は福田村だったが、襲撃したのは同村と隣の田中村（現在の柏市）の自警団だった。数十人いたと見られる自警団のうち、八人だけが殺人罪で逮捕されて実刑判決を受けるが、昭和天皇即位に伴う恩赦ですぐに全員釈放される。取り調べの検事（念を押すが弁護士じゃない）が、「加害者たちに悪意はない」と新聞に語り、弁護費用は村費で負担され、残された家族には見舞金もあてがわれた。主犯格の一人は出所後に村長に選ばれたとか、村が合併後には何人かが市議に選ばれたなどの説もある。その真偽は不明だが、彼らが村の有力者たちだったことは確かだろう。

震災直後の混乱期、関東各地で多くの（少なく見積もっても六〇〇〇人）朝鮮人が殺されたが、加害者のほとんどは事後に沈黙した。ところが朝鮮人ではなく日本人が虐殺されたこの事件では、加害者側だけではなく生き残った六人と殺害された側の九人の遺族も沈黙し、新聞も大きな記事にすることはなかった。だからこの事件は、その後に誰も知らない事件になった。

なぜ彼らは沈黙したのか。襲撃された行商の一行は、香川県三豊郡の被差別部落に暮らす人たちだった。仕事を自由に選べない彼らにとって、行商は大切な生業だった。沈黙した理由は、自分たちは社会的に差別される存在であるとの認識と、絶対に無縁ではないはずだ。つまりこの事件には、日本における代表的な差別とヘイトが、同心円のように二つ重なっている。

事件を知ったころにテレビ・ディレクターだった僕は、この事件をテーマにしたテレビ・ドキュメンタリーを想定して企画書を書いたが、朝鮮人虐殺に被差別部落差別が重なる企画に対するハードルの高さは、予想をはるかに超えていた。報道のプロデューサーたちからは同意をどうしても得ることができず、テレビでは形にできないまま時間ばかりが過ぎた。

その後に肩書に映画監督が加わり、『FAKE』を発表した二〇一四年以降は、福田村事件をモティーフにした劇映画としてのプランを模索していた。ドキュメンタリーではない。だってほぼ一世紀前の事件なのだ。しかも忘れ去られた事件だから、資料はほぼない。ドキュメンタリーは難しい。もちろん撮れないことはない。手法としては、この事件に興味を持つ自分自身を被写体にする。でもそれは相当にトリッキーだ。映画として成功するとは思えない。

こうしてこの時期、劇映画福田村事件の概要とストーリーだけを書いた簡単な企画書を作成して複数の映画会社を訪ねたけれど、やはり反応は鈍い。とりあえず「これはすごい企画ですねえ」などとは言うけれど、でも「制作に協力しましょう」とか「うちでやりましょう」とは絶対に言わないまま、最後に「他にも何か企画があればぜひ」などと言われてお終い。そのくりかえしだった。もしもドキュメンタリーならば、このハードルは若干下がる。なぜなら商業性が低くてマーケットも小さいし、キャスティングも必要ないからだ。だから映画会社のプロデューサーや役員からは、「ドキュメンタリーではないのですか」と何度か質問された。ドキュメンタリーというスタイルならばもう少し可能性はあるかも、というニュアンスがあった。でもそのたびに僕は、「劇映画です」と即答していた。ただし劇映画にしようと思った理由は、ドキュメンタリーとして形にすることが難しいからだけではない。今でこそ当たり前のように「ドキュメンタリー映画監督」などと肩書をつけられるが、大学に入学して所属した映画サークルで初めて撮った作品は劇映画だ。タイトルは「目がさめたら僕は戦場にいた」。

内容はほぼタイトルどおり。主人公の大学生が朝にアパートの自室で目覚めたら、日本は他国との戦争真っ最中だったというストーリーだ。つまり戦時下。召集令状が届く。大学生は一年上の女子大生に片思いしていて、思いきって恋心を打ち明けて振られたばかりだった。そのショックでパラレルワールドに転生したのだろうか。彼女への未練を抱えながら、大学生は銃を手に前線へと向かう。

……こうして書きながら気づいたけれど、これは今流行りの転生ものじゃん。主演女優として起用した女子大生は、実はひそかにあこがれていた同じサークルの一年上の女子大生だった。つまり作品を利用して自分の思いを告白しようとした、との見方もできる。しかも脚本を書いて監督も兼任し、さらに主演の大学生も自分自身で演じた。要するに公私混同の極致。シルベスター・スタローンですらデビュー作の『ロッキー』では主演と脚本だけで、監督はジョン・G・アヴィルドセンに譲ったのに。

制作費はサークルのメンバー全員で負担する、当然ながらサークル内では作品を私物化していると問題になり、現場はぎくしゃくして映画の出来も良くなかった。

書きながら今は思うけれど、なぜこうなることが当時の僕には予測できなかったのだろう。脚本と監督に主演まで独占されてキャスティングまで好き勝手に決められて、サークルのみんなが怒ることは当たり前だ。当時は発達障害という概念はない。でもそういえば小学生のころから、通知表には必ずと言っていいほど「協調性に少し欠けるようです」とか「もっとクラスのみんなの気持ちを考えましょう」などと担任教師が備考欄に書き込んでいて、母親はいつも通知表を手にため息をついていた。大学卒業後もしばらくは、突然親しい人からキレられることが何度かあった。そのころはあいつどうかしてるぜなどと思っていたけれど、どうかしていて予兆やサインに気づかなかったのは僕のほうだったのかもしれない。

仮に発達障害だったとしても学習はできる。今の僕は、まるで別人のように品行方正で自分よりも他者の気持ちや都合を優先して考えて締め切りや約束は必ず守る人格へと変貌した。嘘だと思うのなら友人や知人に聞いてほしい。誰もが口をそろえて、あんなに高潔で控えめなのに気高くて立派な男はいないと称賛するはずだ。

ただ、今も時おり周囲とずれる。意図はしていないけれど。だからテレビ時代に小人プロレスや放送禁止歌のドキュメンタリーを撮ったり、日本中がオウムへの憎悪で一色の時代にオウムの映画を発表したりできたのだろう。こうした経歴を理由に時おり「反骨」とか「反逆」などと書かれるけれど、僕の中にはそんな要素はほぼない。『放送禁止歌』を放送した後に友人のディレクターたちから「よくあんなものを作れたな」などと言われて、意味がわからなかったことをよく覚えている。問題作とはほとんど思っていなかったのだ。周囲に合わせているつもりが、いつのまにかずれてしまう。空気読まないではなく空気読めないのだ。

……気がつけば話が大幅に逸れている。福田村事件に話を戻す。同じころにこの事件の映画化を考えた荒井は、プロデューサーたちに声をかけ、脚本にはベテランの佐伯俊道を指名した。これが「俺たち」だ。

こうして授賞式の控室で点と線がつながった。でもそれから一年近くが過ぎてからようやくシナリオ・ハンティングという状況が示すように、コロナの影響で全体の進行は大幅に遅れている。そもそも映画を製作するうえで大前提となる出資先も、現状ではまだまったく見つかっていない。

ただし公開の時期は決まっている。今から二年後の二〇二三年九月。だって関東大震災から一〇〇年という節目の年だ。周年的なこだわりは僕自身にはほとんどないが、動員やメディアの注目を考えれば、公開の大義はあるに越したことはない。

これがもしもアメリカで起きた事件なら、ハリウッドはとっくに何本も映画を作っているはずだよな。授賞式の控室で、荒井は僕にそう言った。強く同意する。特に安倍政権以降、この国は過去の自分たちの過ちについて、それは自虐史観だとして否定する傾向がそれまで以上に強くなった。

だから歴史認識が歪む。同じ過ちを際限なくリピートする。当たり前だ。記憶しないのだから。あなたは家の前で転んだ。地面の突起に躓《つまず》いたのだ。普通は同じ突起に躓くことはない。あってももう一回くらい。でも失敗を記憶しないのなら、あなたは毎日転び続ける。

まして安倍政権を支持する人たちが自虐史観だとして否定する史実は、南京虐殺や朝鮮人虐殺、従軍慰安婦や強制徴用など、被害を受けた人たちがたくさんいる。地面の突起とは意味が違う。そんな事実はなかったなどと言われたら、どんな気持ちになるだろうと想像してほしい。

情報解禁という言葉が示すように、映画業界においては、ぎりぎりまで内容を伏せることが常道だ。でもこの映画においては、その戦略はとらないことにした。だって多くの人が目をそむける事件なのだ。普通にやっていたら出資先が集まらない。アドバルーンが必要だ。クラウドファンディングも欠かせない。だから情報は出し惜しみしない。できるだけ開示する。

シナリオ・ハンティングには地元の瀬戸内海放送の取材クルーと朝日新聞高松総局の多知川節子記者が同行して、それぞれのニュース特集と記事が一二月中旬に公開された。つまり実質的な情報解禁だ。ネットではそれなりの反響があった。もちろん賛同ばかりではない。旭日旗をアイコンに使う人たちの多くは、『鬼滅の刃』のようなヒット作を出せない三流パヨク映画人たちが集まって何を作るのやら(笑)みたいな揶揄を書き込んでいた。

書きながらふと思うけれど、ネット上の右側にいる彼らの手法は、「(笑)」や「www」などが示すように揶揄や嘲笑。僕もこれまでさんざん笑われてきた。これに対してネット上の左側の人たちは、どちらかといえば正面から武骨に批判するほうが多いような気がする。ただし、あくまでも傾向だ。右側でも正面から言葉を発する人もいるし、左側でも揶揄や嘲笑が目につく人はいる。でもその濃淡は明らかに違う。何だろうな。実際に会って話せるなら理由がわかるかもしれないけれど、揶揄や嘲笑する人たちのほとんどは匿名アカウントだ。顔も声もわからない。

右と左の違いはともかく、揶揄や嘲笑でマウントをとろうとする人たちが、ネットには増殖している。傾向は他にもある。優先されるのは論理よりも感情。言い換えればわかりづらいことへの嫌悪。

数年前に劇作家の鴻上尚史が、「最近は観客の反応が変わってきた」とぼやいていたことがあった。どのように変わったのかと訊ねれば、「芝居終わってから説明を求めるんだよ」と鴻上は答えた。

「悪いのは結局誰なのですか、って」

集団は指示を求める。わかりやすくて単純化された情報を好む。だってみんなで一緒に動きたいから。誰かが動けば私も動く。誰かが止まれば私も止まる。世界で最もベストセラーが生まれやすい国と聞いたことがある。みんなが読むから私も読む。みんなが観るから僕も観る。一極集中に付和雷同。その傾向がとても強い。

もちろん、進化の過程で群れて生きることを選択したホモサピエンスはすべて、周囲の動きに自分を合わせようとする属性が与えられている。つまり社会性。だって一人ひとりが勝手に動いていたら、群れは意味をなさなくなる。

イワシの群れもトナカイの群れもムクドリの群れも、全体がひとつの生きもののように動く。天敵に襲われるのは、空気が読めなくてどうしても周囲とずれてしまったり幼かったり年老いていたり転んだりして全体の動きからはみだした個体だ。

こうして同調圧力が強くなる。もう一度書くがこれはホモサピエンス全般の属性だ。本能といってもいいかもしれない。

ただし東アジアは、その傾向が強い(ような気がする)。集団と相性が良いのだ。特に日本は、その傾向に加えて個が弱い。北朝鮮の式典などで必ずのように披露されるマスゲームは、かつて日本のお家芸だった。みなで足並みをそろえる。シンクロナイズが好きなのだ。だからこそ自分の自由意志よりも指示を優先する。リーダーを求める。指示に従属しやすい。自粛しましょうと言われれば素直に自粛する。自粛しない誰かに対しては、場や空気を乱すとしてみんなで罵声を浴びせる。排除しようとする。

だって群れなのだ。全員野球。進め一億火の玉だ。個人プレーはいらない。勝手に動かれては困る。とにかく一致団結。ならば赤信号だって怖くない。新型コロナなんて踏みつぶせ。

統治しやすい国に風が吹く

オリンピックやサッカーのワールドカップがあるたびに、世界が称賛みたいなフレーズとともに、試合が終わってからみんなでゴミを拾っていたなどと日本人観客やサポーターの節度と規律正しさが報道される。まあ一面的にはそのとおり。ある意味で美徳だ。でもこの規律正しさや行儀の良さが違う方向に向かったとしたら、と僕は思わず想像してしまう。あらためて思う。この国はいつも強い風に吹かれている。その風は自分たちが起こしている。でもその自覚はない。そして風に抗わない。誰かが走る。つられてみんなも走る。メディアがこれを伝える。不逞鮮人が井戸に毒を投げ込んでいる。ならば退治せよ。暴支《ぼうし》膺懲《ようちょう》。神国日本の言うとおりにしないのなら天誅《てんちゅう》だ。みんなで武器を持て。鬼畜米英。鬼は滅ぼせ。けものは屠《ほふ》れ。あれは敗退ではなく転進。これは全滅ではなく玉砕。敗戦ではなく終戦。武器輸出三原則は防衛装備移転三原則で共謀罪はテロ等準備罪。南スーダンPKOで派遣された自衛隊の活動記録に記載されていた戦闘は衝突と国会で言い換える。やがて神風が吹く。一億玉砕。……こうして風はより強くなる。

ドイツのコロナ死者数が過去最多の五九〇人（一日当たり）を記録した一二月九日、連邦議会において行われたスピーチでメルケル首相は国民に、クリスマスシーズンになるけれど生活を自粛してくださいと訴えた。どちらかといえば感情を表に出すタイプではないメルケルが、顔を歪めて拳を何度も突き出しながら、「私は一日五九〇人の死を受け入れることができない」と訴える場面はとても印象深かった。

コロナ禍が始まったばかりの三月にも、彼女は国民向けにスピーチしている。東ドイツ出身であるからこそ移動の自由は安易に制限されるべきではないと私は知っている」と言ってから、「しかしそれ（移動の制限）は今、命を救うために不可欠なのです」とメルケルは国民に訴えた。

そのときも、そしてコロナ禍が始まってから一年が過ぎる今回も、彼女の言葉は国民の胸に深く届く。それに比べて日本の政治家はどうか。

一二月九日のメルケルのスピーチから二日が過ぎて東京の感染者数が初めて六〇〇人を超えた一一日、「ニコニコ動画」の生放送に出演した菅義偉首相は国民に向けての第一声で、「こんにちは、ガースーです」と言ってからニヤニヤと笑った。

ニヤニヤと書くかニコニコと描写するか。同じ笑いでも、書く側がどちらを選ぶかで印象はまったく変わる。それは自覚している。文章を書くことを仕事のひとつにしているからこそ、こうした副詞を安易に使うべきではないと思っている。

でもこのときパソコンの画面で菅首相の顔を見ながら、僕はニヤニヤしか思いつけなかった。ジョークが滑ったとかそんなレベルではなく、本気で人間性を疑った。メルケルが国民向けのスピーチで最初に、「こんにちは、ケルメルです」と言ってからニヤニヤ笑うシーンを想像してほしい。ドイツ国民は即座にメルケルを辞任させるはずだ。あなたには国民の代表の位置につく資質も気構えも知性もないと。

ドイツだけではない。世界のどの国民でも、コロナの死者数が最もピークを迎えた日に国民向けのスピーチで、ジョークを言いながらニヤニヤ笑う首相や大統領に対しては真っ赤になって怒るはずだ。でも日本では「こんにちは、ガースーです」について、ネットで一部の人が嘆息するくらいで、基本的には問題視されることはない。

ところがＧｏ Ｔｏトラベルの全国一斉停止を発表した一四日夜に菅首相が二階俊博幹事長らと連れ立って八人で、銀座の高級ステーキレストラン「ひらやま」で会食をしていたことについては、急に火がついたようにテレビなど多くのメディアが問題視して報道を始め、菅政権の支持率は大きく下落した。

もちろん、この会食を問題視して報道することは当然だ。首相なのだからその動向は公開される。それを承知で、しかもよりによって国民に自粛と行動規制を呼びかけた日の夜に、なぜ迷う気配もなく高級レストランに行けるのか。

事態を甘く見ているならリーダーとしての資質に欠けるし、このくらいは問題視されないだろうと思っていたなら国民を舐めている。

高級ステーキレストランの会費が一人六〜七万円だったと報道されたころ、大阪で数カ月前に餓死していた母娘二人の遺体が見つかった、とのニュースも報道された。日本の貧困率の高さは、民族の坩堝《るつぼ》であるアメリカに次いでG7中ワースト二位。ひとり親世帯ではOECD加盟国三五カ国中ワースト一位。餓死予備軍はまだまだいる。助けを求める声が出ないほどに衰弱している人もたくさんいる。

コロナ禍で多くの人たちは喘いでいる。救いの声をあげている。でもあなたたちは高級レストラン。もしも僕が大手メディアの記者ならば、シャトーブリアンと最高級ワインの組み合わせは美味しかったですか、と会見の場で質問する。国民のために働く内閣。確かにあなたは言ったよね、と何度も確認したくなる。

政治リーダーの顔かたちや言葉の拙さをあげつらうつもりはない。能力は別だ。饒舌《じょうぜつ》すぎる政治家に対しては、むしろ警戒すべきだと思っている。

でも言葉は政治家にとって命だ。饒舌になれとは言わないが、発するときは政治生命をかけるべきだ。コロナという未曾有の事態を迎えたとき、二代続けて国民に届く言葉を発することができない首相がいたことは事実だし、この国の不幸だ。しかし暴動は起きない。下落したとはいえ、いまだに三〇%以上の人たちが政権を支持している。たぶんすぐにまた上がる。為政者の側からすればとても統治しやすい国だ。

だからこそ与党政治家に緊張感が薄い。

最悪の事態を迎えつつあるこの時期、国会で議論がないことに唖然とする。自発的隷従と自由からの逃避。この国民だからこそこの政権。この政権だからこそこのコロナ対策。ここは泥道だ。ずるずると破滅の方向に泥道を滑り落ちている。加速している。それはわかっているのに足は止まらない。だってみんなが一緒なのだ。

こうして過ちの歴史が更新される。いや上書きだ。この国の幼年期はこれからも続く。

（二〇二〇年一二月）

III

馴致

マスクとステイホームと同調圧力

〝良識のある市民〟としてのアイコン

自宅は駅から少し離れているので、自転車によく乗ります。でも最近は、すれ違う人から冷たい視線を受けていることをよく感じる。理由はマスクをつけていないからだと思う。新型コロナへの対策を考慮すれば、電車やバス、飛行機といった密室の中で大勢の人が肩を寄せ合ってひしめく公共交通機関などでは、マスクをつけるべきは当たり前。もちろん僕もします。

でも自宅から駅へ向かう道は、都心ではないので人口密度がかなり低い。決してコロナを甘く見ているわけではないけれど、人がほとんどいない場所を自転車で走るときに、マスクをつける必要性はないと思う。ところがすれ違う人たちからは、ルールを守らない非常識な男のように思われてしまう。日本的だな、と思います。

新型コロナウイルス感染症対策専門家会議は「三密《さんみつ》（密閉・密集・密接）を避けること」

と「ソーシャル・ディスタンスを保ち、外出時はなるべく二メートル以内まで近づかないようにすること」を提唱し、それは世間にも浸透した。言い換えれば、二メートル以上離れているのなら、マスクは必要ないわけです。

でもその条件を満たしているとしても、マスクをつけていない人に対しては、敵視や嫌悪の目を向けてしまう。不思議です。いつのまにかマスクが、善良で良識ある市民を意味するアイコンになってしまっている。つまり空気。あるいは場。日本は以前からそうした「場の圧力」が強い国だったけれど、それがコロナによってより露わになったような気がします。

空気や場は、冷静な思考や論理と相性が悪い。緊急事態宣言が出された四～五月当時は、テレワークや時差出勤が推奨されて、電車内はガラガラでした。ところが今や朝の通勤電車の混雑はコロナ前とほとんど変わらない。会社に着けばソーシャル・ディスタンス。仕事が終わって居酒屋に行けば透明なアクリル板で席は仕切られている。でもほろ酔いで乗った帰りの電車の中はぎゅうぎゅうに混雑してクラスターそのもの。何か変だなと違和感を持つ人は決して少なくないと思うけれど、でもあえてその発言はしない。なぜなら多くの人が異を唱えていないから。

つまり場や空気への過剰適応であり馴致。これも日本社会の大きな特徴です。状況に自分を適合させてしまう。フィットした服を選ぶのではなく、自分が服に合わせる。しかも無意識に。だから何が問題なのかわからない。

補足しなければいけないけれど、適応や馴致能力の高さは人類の特徴です。赤道直下の熱帯雨林で暮らすこともできれば、厳寒の北極圏でも生活できる。こんな生きものは他にいません。まあ強いてもうひとつ挙げれば、最も長く人類と共存してきて家畜化されたイヌもそうですね。

つまり、場に馴れる力が強いからこそ、人類はここまで繁栄できた、との見方もできる。でも馴れる力が強いことには副作用があります。持つべき違和感を持てなくなってしまう。鍋の中に入れられてゆっくりと茹でられるカエルの警句は有名です。少しずつお湯が熱くなったら、カエルはお湯の温度の変化に気づかないまま、やがて茹だってしまう。場に馴れる力が強いということは、熱くなったお湯に違和感を持たなくなる、ということでもあります。そして日本人は、この傾向がとても強い。

日本の大学は今、中国、韓国などからの留学生がとても多い。欧州も少しだけいます。芸能人の不祥事や企業の不正行為が起こったとき、彼らからよく質問されます。「当事者たちが記者会見を開いて、テレビカメラに向かって頭を下げて謝罪する。土下座している人を見たこともあります。とても不思議な光景です。あれは誰に謝っているのでしょうか」。

この疑問に対して僕は、「あれはテレビカメラ、つまり視聴者、社会に向けて謝っているんだよ」と説明するけれど、納得できないようですね。中国でも韓国でも欧米でも、少なくともこうした謝罪は見たことがない、と不思議そうです。

これもやっぱり場。あるいは空気。留学生とのそうしたやり取りからも、「場の圧力」が支配する日本社会の様相が浮かび上がってきます。

日本は世界で最も成功した社会主義国

昨年、僕が監督を務めた「i―新聞記者ドキュメント―」という映画が公開されました。映画は各国の国際映画祭を巡回し、全国各地で上映が続いている。だが新型コロナの感染拡大によって、僕自身が国際映画祭の会場へ出かけたり、トークショーつきの上映会に参加することが難しくなってしまった。二〇二〇年二月以降、人と会わず自宅でじっとしている時間が多いです。

九月一九～二二日の四連休（シルバーウィーク）のときに、テレビのニュースやワイドショーを見ていたら、日本中の観光地にものすごい数の客が殺到して、高速道路は大渋滞という映像が流れていた。リポーターが家族連れにマイクを向けると、みんな「我慢していたから出かけられることが嬉しい」と喜んでいる。

夏休みの行楽シーズンを見越して、政府は七月二二日から「Ｇｏ　Ｔｏトラベル」キャンペーンを開始しました。政府の補助により、旅行代金が割引されるキャンペーンです。でもこの時点で新型コロナは全然収まっていない。もしも「大勢の観光客が日本中で移動したらコロナがさらに広がる」と非難の声があがっていたら、夏休みの「Ｇｏ　Ｔｏトラベル」は伸び悩んでいたでしょう。案の定、感染者は一気に増えた。

ところがそれから一カ月後のシルバーウィークになって、「Ｇｏ　Ｔｏトラベル」だけではなく「Ｇｏ　Ｔｏイート」や地域振興クーポンなどが始まった。まるで緊張の糸が切れたかのように、人々が一斉に観光地に押し寄せました。

これも不思議。感染者数や死者数の推移を見るかぎり、少なくとも夏と状況はほとんど変わっていない。日本がコロナを制圧したようにはとても見えない。それなのに政府から「もう観光地に行っていいですよ。むしろどんどん行ってください」と御触《おふ》れが出て世の中の〝空気〟が変わったと感じた瞬間に、人々は堰《せき》を切ったように一斉に旅行に出かける。

こうしたニュースを観ながら、「これでまた感染率が上がったら、どこかの段階で政府が再び方向性を変えるかもしれないな」と思いました。Go ToからSTAY HOMEに号令が切り替わったら、みんな一斉に自宅に引きこもる。少し経ってほとぼりが冷めたら、また「Go Toキャンペーン」を再開して観光地に殺到する。おそらく、そのくりかえしでしょう。

「コロナによって社会は変わる」「コロナによって世界は変わる」という論調を唱える人もいるけれど、こうした日本人の行動様式は、コロナ前もコロナ後も全然変わっていない。いやむしろ露骨になっています。

新型コロナ騒動が始まった当初、「オーバーシュート」（爆発的な患者の増加）や「ロックダウン」（都市封鎖）といった言葉が飛び交い、世の中の危機感も高まった。そして四月七日には七都府県（東京・埼玉・千葉・神奈川・大阪・兵庫・福岡）で緊急事態宣言が出され、四月一六日には緊急事態宣言が全国に拡大している（五月二五日に解除）。

事業者への営業自粛の呼びかけや「STAY HOMEキャンペーン」、そして向きが逆の「Go Toキャンペーン」や「Go Toイート」も、国家による強制力はまったくない。中国とは違います。にもかかわらず、同調圧力と集団心理によって、強制などしなくても指示どおりに動く。「右に行ってください」と言えば、みんなが右に行ってくれる。統治する側からしてみれば、こんな楽な国はない。

以前、来日したイタリアのジャーナリストと国会前の反原発デモを見ていたとき、デモ隊が交通規則をしっかり守っていることに、彼はとても驚いていた。さすが日本人だと。もちろん半分は皮肉です。そう言われて思い出したけれど、サッカーのワールドカップやオリンピックなど国際試合で、スタジオで観戦した日本人観客たちが、周囲のゴミを拾って帰ったという話題で、いつも大きなニュースになります。もちろんこれは美談です。でもおそらくはこのとき、ゴミを拾わないと帰りづらいみたいな雰囲気があったのではないかなと想像します。だから空気に従う。みんなと同じように動く。こうした日本人の属性は、時と場合によってはとても危険な要素になります。

旧ソ連のゴルバチョフ元大統領は日本を訪れたとき「我が国は失敗したが、日本は世界で最も成功した社会主義国だ」と言ったそうです。もちろんこれも半分はジョークだと思うけれど、ならば半分は本気です。資本主義経済で人権を最重要視する民主国家のはずなのに、政府が法的に厳しい縛りをかけなくとも、社会主義国家のごとく国民が自発的に自らの権利を制限している。その統治力の源泉は何か。やはり場と空気です。法治国家ではなくて場治国家、あるいは空気治国家。ギャグを言っている場合じゃないけれど。

コロナ禍も含めて、災害や事件などで生存への不安や恐怖が亢進したとき、人は曖昧な領域を嫌って極論を求めるようになります。1か0。善か悪。真実か虚偽。黒か白。

確かに二つに分けたほうが簡単です。でも世界は二元論ではできていない。グラデーション（連続的な変化）でありレイヤー（層）です。あなたは休日に近くの公園で絵を描いています。樹木をキャンバスに再現するとき、緑の絵の具一本だけで葉を描くでしょうか。樹の幹は茶色一色でしょうか。絶対にそんなことはない。よくよく見れば、黄色や赤や青など、いろんな色が混在しているはずです。空や地面もそうですよね。いろんな色がある。それが世界です。

こうした広がりや厚みが社会の多様性を育む。しかし「正義か悪か」という極端な二元論ばかりが突出した結果として、分断や対立がコロナ以後の日本でいっそう強まっている。

アメリカの分断と復元力

現在、アメリカは大統領選挙（一一月三日）の最終盤の論戦一色です。その渦中、新型コロナに対して、一貫して強気の姿勢を見せてきたトランプ大統領本人も、一〇月一日に感染しました。

退院後もトランプ大統領は、相変わらず支持者の前でこれ見よがしにマスクを外して自信たっぷりに演説を繰り広げる。トランプ政権下のアメリカでは、トランプ支持者と反トランプの人たちとの対立が、従来の共和党と民主党の対立をさらに深め、国家を分断させてきました。一九五〇年代以降の共和党と民主党は、ほぼ交互に政権与党となっています。つまりアウフヘーベンなんです。政策が真逆な政党が周期的にイニシアティブをとることで、互いの不備や欠陥を補正し合ってきた。きわめて理にかなっている。ところがトランプという異物が共和党に誕生したことで、そのバランスが壊れかけている。

でもアメリカは多民族・多言語・多宗教の国なので、最終的には扁平になれない。復元力がある。むしろ心配なのは日本です。

一〇月一日、政府は日本学術会議の会員候補六人の任命を拒否しました。「学者の国会」と呼ばれるこの組織は、内閣府の特別機関です。六人の候補は、特定秘密保護法や共謀罪、安全保障関連法に批判的な発言をしてきたとされ、それが任命拒否の原因とも言われているけれど、菅首相は拒否した理由を明らかにしない。説明責任を果たそうとしていない。

一〇月六日、映画関係者二二人の連名で緊急抗議声明を発表しました。僕も二二人のうちのひとりです。この件がヤフーニュースに転載されると、コメント欄に大量の投稿が溢れました。「パージ（排除）された六人は中共（中国共産党）の工作員だ」「声明に名を連ねた映画監督の連中は、みんな中共からカネをもらっている」などの書き込みばかりで、まともなコメントがほとんどない。共通することはシニシズム（冷笑主義）。反論ではなく嘲笑。中共の工作員とか、少し調べればデマやフェイクだとわかるのに、少しも調べようともしない。誰かがツイートで紹介したら、そのフェイクニュースをリツイートして「いいね！」「いいね！」とどんどん拡散していく。

投稿が過激になる理由のひとつは、多くの人が匿名だからです。日本のＳＮＳ、特にTwitterは、圧倒的に匿名アカウントが多い。匿名率は七〇％以上。これは世界においても突出した数字です。アメリカやイギリス、フランス、韓国など多くの国の匿名率はほぼ三〇％台です。

意見は述べるけれど論戦する気はない。対話がまったく成立しない。大勢が寄ってたかって標的を叩く。ひとつにまとまる。これは日本人の傾向です。ベストセラーが世界でいちばん生まれやすい国と聞いたことがあります。みんなが読むから自分も読む。みんなが見るから自分も見る。いつも周囲と同じように動く。

そうした日本人の傾向を、僕は「集団化」と呼んでいます。集団とは同質でまとまろうとすることだから、異質なものに対しては排除や迫害をしたくなる。この場合の差異は、皮膚や目の色、国籍や信仰や言葉など、極論すれば何でもいいけれど、最も標的になりやすいのは、動きが周囲と違う人です。共通することは、常に多数派が少数派を叩くこと。あるいは嘲笑すること。つまり学校のいじめと構造は同じです。それが社会全般で起きています。

集団化とは群れと同義です。群れる生きものはたくさんいます。イワシにメダカ、カモシカにヒツジ、スズメにムクドリ、これらの生きものの共通項は弱いこと。天敵にいつも脅えている。ひとりだと捕食されてしまう。だから群れる。人類も同じです。およそ五〇〇万年前に樹上から地上に降りてきたとされる人類の祖先は、樹上にはいなかった大型肉食獣の脅威にさらされて、単独生活をやめて群れる生きものになりました。不安や恐怖を感じたときに集団化を起こすメカニズムは、人類全般の傾向です。ただし、日本人はこの傾向が強い。なぜSNSに匿名が多いのか。集団の一部になろうとするとき、固有名詞は不要だからです。むしろないほうが溶け込みやすい。

集団は全員で同じように動こうとします。イワシやムクドリは鋭い感覚で周囲の動きを瞬間的に察知できるけれど、人類はその感覚が退化しています。代わりに言葉を得た。つまり集団化が加速するとき、人はどう動けばいいかの言葉を求めます。要するに指示。あるいは命令。だから強権的な政治家への支持が高くなる。トランプにプーチンに習近平、トルコのエルドアンやフィリピンのドゥテルテ、ブラジルのボルソナーロにハンガリーのオルバーン・ヴィクトルなど、一昔前なら独裁者と呼称された人たちが、国民から強く支持されている。多くの人はこれを世界の右傾化と言うけれど、僕は集団化だと思います。

アメリカの正式名称である「United States（統合された州）of America」が示すように、アメリカは新しい国で多民族・多言語・多宗教であるからこそ、統合を常に求めている。でも多民族・多言語・多宗教であるからこそ、完全な統合は不可能です。だからこそアメリカ人は、統合のシンボルである国旗や国歌が大好きです。そして頻繁に、疑似的な集団化を起こす。ブッシュ政権がイラクに戦争を仕掛けたとき（二〇〇三年三月）、アメリカは戦争一色で熱狂した。「ニューヨーク・タイムズ」や「ワシントン・ポスト」ですら、あのときはブッシュ政権を応援しています。

ただし、アメリカの集団化は長続きしません。必ず異論が立ち上がる。「イラクに大量破壊兵器が存在する」という唯一の開戦の根拠が欺瞞だと判明すると、「ニューヨーク・タイムズ」も「ワシントン・ポスト」も「自分たちは間違っていた」という声明や検証記事を出して、大きく軌道修正した。ブッシュ政権やイラク戦争を真っ向から批判するハリウッド映画もたくさん作られた。こういう復元力があるところが、アメリカの強さです。

これに対して日本は、民族や言語や宗教が均質であるからこそ、復元力が弱い。行ったら行きっぱなしになってしまう。明治以降の歴史を振り返れば、そんな事例がたくさんあることに気づきます。

自分たちの歴史を真摯に学ぶこと

コロナ後、加速する社会の分断を食い止めるための方途は、きわめて可能性は薄いけれど、日本社会の「復元力」に望みをかけるほかないだろうと思います。

普通の議論ができる状態に社会として揺り戻しが起こるかどうか、それがコロナ後の日本社会の行く末を考えるうえで重要です。そして、そのためには、何よりも自分たちの歴史を真摯に学ぶこと。歴史はなぜ必要なのか。同じ過ちをくりかえさないため、です。

人は個人としては優秀でも、集団の一部になったときに大きな過ちを犯してしまう生きものです。その最悪な事例が戦争や虐殺です。人は一人では生きられない。集団化はほぼ本能です。完全に回避することはできない。でもその副作用を知ることは大切です。

だって知らないままならば、また同じ過ちをくりかえす。僕たちは決して賢くない。賢くないからこそ、自分たちの過ちを必死に記憶しなくてはいけない。ところが最近の日本は、自分たちの失敗や挫折を認めない傾向がとても強くなっている。特に自分たちの加害の記憶は、最も認めたくない失敗です。だからこうした歴史を自虐史観と呼んで攻撃する。嘲笑する。

特に日本は、近現代史の歴史認識が浅いと言わざるをえない。第二次世界大戦から七五年も経つのに、日本はいまだに戦争をきちんと検証できていない。歴史として嚙みしめていない。

だからこそあの戦争に、いまだに固有名詞を与えることができずにいる。公式には、「先の大戦」という曖昧な呼称が使われる。大東亜戦争とかアジア太平洋戦争とか一五年戦争などいくつかはあるけれど、どれを使ってもイデオロギー的なものが付着してしまう。だから使いづらい。その状態が七五年続いている。

これを言い換えれば、この国は直近の戦争を国民共有の史実にできていない。これはとても異常なことです。

過去の過ちを曖昧なままにせずに自らの加害を直視する。匿名の集団に埋もれずに、一人称単数の主語をしっかりと保持する。これだけでも、この国の未来はまったく変わると思います。

（二〇二〇年一二月）

甘ったるくてポエジーで楽観的な未来への視点を修正する

『定点観測』の第三弾に掲載された「まえがき」

今日の日付は七月二〇日。そして三日後の二三日は、東京オリンピック開会式だ。つい一カ月前まで僕は、オリンピックは最終的に中止になるだろうと思っていた。僕だけではない。多くの人がそう思っていたはずだ。でもその予想は見事に外れた。

二〇二〇年九月に刊行された『定点観測 新型コロナウイルスと私たちの社会』（以下、『定点観測』）第一弾で上野千鶴子は、（新型コロナによって）「平時の矛盾や問題点が拡大・増幅してあらわれる」「すでに起きていた変化が危機によって加速する」と宣言した。強く同意する。五輪についても、その露骨な商業主義、企業や資本との癒着、ナショナリズムへの無用な刺激や開催国の政治利用など五輪そのものが抱えていた矛盾や問題点が浮き彫りになり、さらに五輪組織委の森喜朗会長の女性蔑視発言も含めて、開会式の音楽や演出など主要メンバーたちの過去の不用意な発言が明らかになることで、この国が内包する差別性や人権意識のお粗末さ、浅薄な歴史認識などが、新型コロナによってうんざりするほどに露わになった。

でも菅政権は止まらない。五輪開催に向けてアクセルを踏み続ける。停まったり減速したりすることを恐れているかのように。まるでヤン・デ・ボンが監督したハリウッド映画『スピード』だ。でもこれは映画じゃない。現実だ。しかも暴走するバスの座席に座っているのは僕たちなのだ。

子どものころから五輪の閉会式が好きだった。開会式ではなく閉会式だ。なぜなら閉会式は無礼講。各国選手団は開会式のように整然と行進しない。ばらばらだ。そして入場後も並ばない。好き勝手に動き回る。イスラエルとアラブの選手が笑顔で肩を組んでいる光景を目にした記憶がある。韓国と北朝鮮の選手も抱き合っている。メダルの数など関係ない。肌の色や信仰や言語の違いも関係ない。ハグさえすれば体温は同じなんだと今さら気づく。テレビを観ている僕たちも同じ思いを共有できる。その意味で閉会式は、まさしく平和の祭典を体現していた。

でも一九九六年のアトランタか二〇〇〇年のシドニー大会あたりから、日本のテレビが映し出す閉会式の光景が変わってきた。カメラが追うのは日本人選手ばかり。その傾向はどんどん顕著になってきたように思う。もちろん、テレビだけが勝手に変化したのではない。テレビのマーケットである社会の側が変わったのだ。この時期にバレーボールワールドカップ女子の中継を観たときも、アップになるのは日本人選手ばかりで対戦相手国ペルーの選手は最後まで顔がほとんどわからなくて、観ながらとても驚いた記憶がある。
二〇二一年六月二日に首相官邸で行われたぶら下がり会見で菅首相は、東京五輪・パラリンピックを開催すべきだと考える理由を記者から質問され、「まさに平和の祭典」といきなり口にした。以下にこのときの言葉を正確に再現する。

まさに平和の祭典。一流のアスリートがこの東京に集まってですね、そしてスポーツの力で世界に発信をしていく。さらにさまざまな壁を乗り越え、努力をしている。障害者も健常者も、これパラリンピックもやりますから。そういう中で、そうした努力というものをしっかりと世界に向けて発信をしていく。そのための安心安全の対策をしっかり講じた上で、そこはやっていきたい。こういうふうに思います。

開催にこだわる理由を質問するときに、「感染対策ではなく」とのフレーズを、記者はわざわざ加えている。質問に的確に答えなさいとの意味を強調していることは容易に推察できる。まるで国語の授業だ。ならば生徒の側の菅首相の回答はどのように評価されるべきか。前段から中断にかけては「世界に発信」「世界に向けて発信」と二回口にしたが、その目的語が曖昧だ。二回目のセンテンスでは「努力というものを」が目的語になるが、さすがに「世界に努力を発信する」では意味が通じない。冒頭で「まさに」と強調した「平和」が該当するのだろうか。問いに対する答えとしては、そう解釈するしかない。

平和を世界に発信する。それが五輪開催にこだわる理由であり大義であると菅首相は宣言した。コロナ禍で多くの国民が不安な思いを抱いている。競技場では人流が活発になることは当然だから、新たに感染爆発するかもしれない。来日した選手や関係者たちが持ち込んだ変異株の感染が広がるかもしれない。こうしたリスクの帰結として死ななくてもよい多くの国民が死ぬかもしれないが、でも世界に平和を発信するために安心安全の対策をしっかり講じながら五輪は開催されねばならないのだ、との意味になる。

これまで五輪の大義は、安倍政権時代も含めて猫の目のようにくるくると変わってきた。招致が決まったころは「復興」だった。でもコロナ禍が始まってしばらく過ぎてから安倍前首相は、「復興」を引っ込めて大義を「コロナに打ち勝った証し」に変えた。菅首相も就任後しばらくはこれを引き継いでいたが、さすがにコロナ対策の大きな遅れが明らかになった二〇二一年一月のダボス会議（オンライン開催）では、「人類が新型コロナウイルスに打ち勝った証として」に「世界の団結の象徴として」を加えて大義を説明した。さらに四月の訪米でバイデン大統領と会談したときは、「打ち勝った証として」が消えて、「世界の団結の象徴として東京オリンピック・パラリンピックの開催を実現する」と表明した。

そして六月になって表れたのが「世界に平和を発信する」。でもならば言いたい。首相に問い返したい。

……とここまで書いたところで、前書きの規定字数を超過してしまった。もしも続きを読みたいと思ってくれるなら、このまま本文を読み進めてください。

（以上、『定点観測　新型コロナウイルスと私たちの社会　2021年前半』の「まえがき」より）

ウイルスに境界はない

周回遅れにも程があると我ながら思うけれど、今ごろになってウイルスと生きものの違いについて考えた。まずは大きさ。ウイルスの大きさは〇・〇二〜〇・三マイクロメートル。

……と数値と単位だけを言われてもぴんとこない。ざっくり言って一般的な細菌の大きさはマイクロメートル（一〇〇万分の一メートル）だが、ウイルスはナノメートル（一〇億分の一メートル）と思えばよい。生きものにおいては圧倒的に小さい。

ただし大きさは相対的な尺度だ。本質ではない。生きものの本質（定義）は何か。いくつかあるが最もベーシックな要素は以下の三つ。

1　代謝を行う。
2　膜（皮膚）を持って外界と自己を仕切る。
3　次世代を残す。

ならばウイルスはどうか。タンパク質を主成分とした膜は持っている。単独では増殖できないが、他の生きものの体内に侵入して宿主の細胞を使いながら自己を複製して次世代を作る。代謝は行わない。つまり2と3はかろうじてクリアだが1を満たさない。ウイルスが生命と非生命のあいだにあると言われる所以はここにある。

まあここまでは、多くの人にとっても今さらの情報だろう。でもあえて生きものの定義を書いた理由は、ふと気づいたことがあるからだ。「代謝」と「膜」と「増殖」は、国家の定義にもぴたりと重複する。その内側において経済活動という代謝をくりかえし、国境によって他国とのあいだにラインを引いて自由な出入りを制限し、体内の細胞に当たる国民たちは子どもを産んで自分のＤＮＡを複製する。生命の定義そのものだ。

ならばウイルスは、宿主となった生命の生存を脅かすように、宿主となった生命が帰属する国家共同体の存在をも脅かすのではないか。つまり同心円の外周への攻撃だ。

……何を当たり前のことを滔々《たんたん》と述べているのか、と思われるだろうか。確かにここまでの記述はレトリックだ。修辞のレベル。でも現実に符合する要素は少なくない。だからこそコロナ禍初期に僕は考えた。コロナは個々の命だけではなく国家という概念をも脅かすのだと。

この場合に国家の無謬性を信頼しながら国家が人類にとって必要不可欠な共同体であると考える人ならば、ウイルスは害悪そのものだろう。ただ僕のように、国家は多くの誤謬性を帯びた枠組みであって個々の命に対して益よりもむしろ害をなしてきたシステムであると見なす立場からは、ウイルスは長期的には人類の新たな方向を示す存在に見えてくる。もちろん、今のところ人類は国家という枠組みを手放せない。でもそろそろ、次の段階に行っても良いのでは、と思っている。

『定点観測』の第一弾において、新型コロナによって国境の概念は変わるかもしれないと僕は書いた。なぜなら増殖するために他の生きものを探すウイルスにとって、宗教や民族、言語の差異や国境線などの区分はまったく意味を持たない。

この視点を人類の側に置けば、自分が帰属する国家というエリア内だけでウイルス対策を講じても有効性はほとんどない、ということになる。自分が暮らす町で感染者が一人もいないとしても、隣町でアウトブレイクが発生しているならば、リスクはまったく軽減していない。世界も同じだ。微小なウイルスは人や物の流れとともに国境を行き来する。これがスペインインフルエンザの時代ならば、国境をほぼ閉鎖することでウイルスの侵入を抑え込んだオーストラリアが示すように、地域や国による囲い込みに多少の意味はあったかもしれない。でもそれから一〇〇年が過ぎて、文字どおりのグローバリゼーションの時代を迎えた現在、ひとつの国や地域だけでウイルス流入を完全に防ぐことは不可能だ。

ならば国境は意味を失う。失うまでは至らなくても意味が変わる。『定点観測』第一弾の原稿を書きながら、僕はそんなことを考えていた。

地域や人々の分断を加速化させた新型コロナ

補足するが、これは客観的な分析などではもちろんなく、半分以上は僕の願望でもある。子ども時代からずっと不思議だった。人は様々な共同体に暮らす。村があって町があって市があって県があって国があって地域がある。個を中心に置けば多重の同心円のラインで僕たちは包摂されているが、国境が持つ区分性と排他性は、他のラインに比べれば突出して強い。だからこそ国境を接して人の争いは絶えない。この太い線をどこに引くかでいがみ合う。

僕はビザやパスポートが嫌いだ。もっと自由に出入りしたいし、暮らす場所を決めたい。だから国境が揺らぐのならそれは大歓迎。ＥＵ域内では原則的に入国審査なしに各国を自由に行き来できる。

数年前にスイスのバーゼルに行ったとき、車で移動しながらいつのまにかフランスやドイツにいることに驚くと同時に、国境に勝ったような気分がしてとても爽快だった。そんなことを思いだしながら書いた『定点観測』第一弾の記述の一部を、以下に引用する。心なしか文体が弾んでいる。やっぱり自分は非国民なんだとつくづく思う。

だってウイルスを前にして一国主義は成り立たない。もちろん国境がなくなる、とまでは思っていないが、これまで大前提だった集団への帰属意識が、国から地域や世界へと拡大するかもしれない。つまり人類は新型コロナによって次の段階に進む。本当の意味のグローバリゼーションが現実となり、国民国家という概念が変わる。

……もちろんこれは妄想の延長。ならば妄想ついでにもうひとつ。群れの意味が変わるかもしれない。だって新型コロナは、まさしくクラスター（集団）を直撃する。怖いから群れる。群れるから相が変異する。でも群れを作れない。ならば人類はどうするのか。

この思いは、第一弾刊行から半年が過ぎた第二弾を書く時期になっても、ほぼ変わっていなかった。第二弾のまえがきで僕は、アーサー・C・クラークの『地球幼年期の終わり』（沼沢洽治訳、創元SF文庫）を引きながら、ウイルスの脅威を触媒にすることで幼年期のままだった人類の歴史が次の段階に進化する可能性について言及した。

第二弾からさらに半年が過ぎた二〇二一年七月現在、第三弾の原稿を書きながら僕は、自分の甘ったるくてポエジーで楽観的な未来への視点を修正することを宣言しなければならない。

つまり敗北宣言だ。

認めなくてはならない。結局のところ新型コロナのパンデミックが始まってから一年半、国境の概念は変わらなかった。いや変わらないどころか、国境はその区分や分断の機能を、新型コロナ前よりも強化している。

台頭するポピュリズムとファシズム

新型コロナによるパンデミックが起きる直前である二〇一八年において、EUだけでも八つの国(オーストリア、ベルギー、デンマーク、フィンランド、イタリア、ポーランド、ハンガリー、スロバキア)の政府が、民族主義を掲げる右派政党に率いられていた。さらにこれら八つの国以外でも、フランスではマリーヌ・ル・ペンが率いる「国民連合」が最大の政治勢力のひとつとなり、ドイツでは極右政党「ドイツのための選択肢」が二〇一七年の国政選挙で一三%の票を獲得して、移民や難民に対しての寛大な政策を再考しなければいけない状況に、メルケル首相は追い込まれた。

アメリカ国民はヒラリーよりもトランプを選択し、ブラジルのボルソナーロやフィリピンのドゥテルテも、国民から圧倒的に支持されていた。

プーチンや習近平、エルドアン（トルコ）にルカシェンコ（ベラルーシ）など、かつてならば独裁者と呼称されても不思議はない強権の政治リーダーたちは、今も盤石の位置にいる。

つまり新型コロナによるパンデミックが始まる何年も前から、極右的なイデオロギーや全体主義的な傾向に対して人々が親和性を示す傾向が、まさしくパンデミックのように世界に広がりつつあった。そしてこの潮流は、コロナ禍が世界を覆う現状においても変わっていない。むしろ強くなっている。

EU域外に目を向ければ、中国はますます覇権主義を強め、ひとつの中国として囲い込まれたチベット自治区や新疆《しんきょう》ウイグル自治区、そして香港は窒息しかけているし、台湾有事も絵空事ではなくなりつつある。政権は交代したがトランプによるアメリカファーストで排外主義的な政策は今も多くのアメリカ国民から支持されていて、トランプ自身は次期大統領選に意欲満々だ。ミン・アウン・フラインが率いるミャンマー国軍によるクーデターは、この国でようやく始まったばかりの民主主義を、多くの市民の命を無慈悲に道連れにしながら破壊した。

ロシアやベラルーシ、金正恩や習近平の独裁制はさらに強化され、メディアやジャーナリストへの監視やコントロールはさらに強化されている。

書きながら吐息が洩れる。これはもう認めるしかない。認めよう。新型コロナの時代を迎えて一年と半年が過ぎたが、結局のところ国境という概念は、一ミリも揺るがなかった。いやむしろ強化されている。

人間の不信と不和がウイルスにとっては蜜の味となる

補足するけれど、甘ったるくてポエジーで楽観的な未来への視点は、逆説的ではあるけれど、きわめて辛口でペシミスティックで悲観的な前提によって支えられている。そもそも僕はネガティブだ。事態を悪いほうに予測することは子どものころからの処世術だ。

夏休み初日の朝は目が覚めると同時に、「今日から夏休みが始まるのではなく最後の日なのだ」と思うようにしていた。つまり冷たい水を自分に浴びせるのだ。運動会の短距離走では、転んでビリになる自分を想像しながら走る順番を待っていた。大学受験直前も、志望校はすべて落ちる状況をイメージしていた。できるだけ具体的に。そのときの自分の心情を想像しながら。もしも「合格するかも」などの気持ちが何かの拍子に湧いてきたら、あわてて必死に打ち消した。そんなことはありえない。すべては裏目に出る。好転することなど万に一つもない。絶対に願うようには進まない。

なぜ悪いほうに予測するのか。最悪の事態をイメージしておけば、実際に最悪の事態になったときのショックが小さいと思うからだ。そしてもしも最悪の事態を回避することができたのなら、その喜びと安堵は、期待していないぶんだけとても大きくなる。

要するに臆病なのだ。それは自覚している。でも仕方がない。持って生まれた性癖だ。ネガティブ思考は実際にネガティブな状態を誘発するからすべきではないと言われても、現実から裏切られて傷つくよりははるかにマシだと考えている。

何度でも書くがそもそも新型コロナについて、僕は最初の時期には舐めていた。ネガティブなのに思慮が浅い。ダイヤモンド・プリンセス号の乗客の多くが新型コロナに感染したと日本中が大騒ぎになりかけていた二〇二〇年一月下旬、フィンランドの映画祭に招待されたとき、何のためらいもなく渡航していることからも明らかだ。

でも帰国して数カ月が過ぎたころ、これはかなり深刻な事態かもしれないと軌道を修正した僕は、自分のいつものメソッドに従いながら、もっと悲観的な状況を想定した。これから始まるのは世紀末的なパンデミックだと考えた。

だってこの時点で、これほど早くワクチンが開発されるとは思っていなかったし、ファイザーやモデルナが海外で認可されたとの情報を知ったときも、その有効性や副反応については、かなりネガティブに捉えていた(実は今もまだその懐疑を完全に払拭はしていない)。だからこそ、こうした状況への反作用として、国境という概念が崩壊する未来を妄想していた。決してポジティブなのではない。ネガティブがごろりと反転しただけだ。

同様の趣旨をユヴァル・ノア・ハラリは二〇二〇年一〇月に、『緊急提言 パンデミック：寄稿とインタビュー』(柴田裕之訳、河出書房新社)で以下のように語っている。

ウイルスとの闘いでは、人類は境界を厳重に警備する必要がある。だが、それは国どうしの境界ではない。そうではなくて、人間の世界とウイルスの領域との境界を守る必要があるのだ。地球という惑星には、無数のウイルスがひしめいており、遺伝子変異のせいで、新しいウイルスがひっきりなしに誕生している。このウイルスの領域と人間の世界を隔てている境界線は、ありとあらゆる人間の体内を通っている。もし危険なウイルスが地球上のどこであれ、この境界をどうにかして通り抜けたら、ヒトという種全体が危険にさらされる。(中略)

もしこの感染症の大流行が人間の間の不和と不信を募らせるなら、それはこのウイルスにとって最大の勝利となるだろう。人間どうしが争えば、ウイルスは倍増する。対照的に、もしこの大流行からより緊密な国際協力が生じれば、それは新型コロナに対する勝利だけではなく、将来現れるあらゆる病原体に対しての勝利ともなることだろう。

これも予測ではなく提言だが、コロナ禍によって起きる世界的な変化への見積りの想定値に大きな誤差があったことは、今のハラリも認めるだろう。現状においてワクチンの効果は絶大だ。変異株の脅威は波状的に押し寄せるが、接種率が高いアメリカやイギリス、イスラエルなどの市民たちは行きつ戻りつしつつも、日常生活をかなり取り戻している。ファイザーやモデルナなどｍＲＮＡワクチンとアストラゼネカなどウイルスベクターワクチンは、きわめて歴史が浅いプラットフォームのワクチンだ。本来なら治験の時期はもっと長かったはずだ。言い換えれば現在、世界規模で人体を使った治験をしているともいえる。ならばもう少し後に、ワクチンの劇的な副反応が明らかになるかもしれないし、新たな変異株が猛威を振るう可能性だってもちろん残されている。

そのリスクを想定しつつも、やはり認めねばならない。少なくとも国境という枠組みにおいて世界は、新型コロナによって再考察せねばならないほどには追い込まれなかった。

むしろ強化された。それを認めたうえで今後を考えねばならない。

集団免疫をどう考えるか

時期としては二〇二〇年夏が過ぎたころ、新型コロナ対策についてAIは何と答えるか、との論考を読んだことがある。

ちょうどこの時期はスーパーコンピュータ（スパコン）を使いながら、感染した人がしゃべるときに飛沫がどのように飛散するかなどのシュミレーションを、テレビのニュースなどでよく目にしていた。観ながらきっとあなたは、人知を超えた集合知とディープラーニングと桁違いの計算ができるはずのスパコンを使いながら、なぜ飛沫のシュミレーションしかできないのかと不思議に思わなかっただろうか。僕は不思議だった。格闘技世界一決定戦で優勝した世界最強のチャンピオンを家に呼んでトイレの清掃を頼むようなものだ。なぜスパコンに根本的な新型コロナ対応策を質問しないのだろう。

それには理由があるらしい。もしもAIに新型コロナの対応策を質問したら、答えは二つに限定されるという。

1　すべての人が家から一歩も出ない究極のロックダウンを実施する。病院やスーパーなどあらゆるインフラも閉鎖する。期間は数カ月。人に感染したウイルスは密室内で人とともに死滅する。

2　いっさい何もしないでこれまでと同じ日常を送り、感染を放置する。つまり多数の感染者によって社会的な抗体を作る「集団免疫」を目指す。

どちらも感染者には対処療法以外の治療はしない。当然多くの人が死ぬが、1と2以外の対応策をとったとしても（つまり現状だ）、1や2ほど劇的ではないが緩慢なパンデミック状態が長く続くので、死ぬ人の数は変わらない。むしろ多いかもしれない。

もしも1か2の選択をしていれば、人類は今ごろ新型コロナの時代を終わらせている可能性は低くない。つまり安倍前首相や現在の菅首相が事あるごとに唱えていた「人類が新型コロナに打ち勝った証し」を手にして、東京五輪を迎えていたかもしれない。

しかし人は、1と2を選択できない。目の前で苦しむ人を放置することは難しい。AIならば最小数の犠牲者を達成するためにこの手法を迷うことなく選択できるのだろうが、多くの人が死ぬことを回避することが予測できたとしても、その交換条件として目の前にいる人を見殺しにすることは難しい。古典的なトロッコのジレンマだ。

線路を走っていたトロッコが制御不能になった。このままでは前方で作業中の五人が猛スピードのトロッコに轢き殺されてしまう。このときあなたは、線路の分岐器のすぐそばにいた。トロッコの進路を切り替えれば、五人は助かる。しかしその別路線でも一人が作業しており、あなたが分岐器を操作すれば、五人の代わりに一人がトロッコに轢かれて確実に死ぬ。

要するに「五人を助けるために他の一人を殺してもよいか」という命題だ。功利主義に基づくならば、一人を犠牲にして五人を助けるべきだ。しかし義務論に従えば、誰かの命を他の目的のために利用すべきではなく、何もするべきではないということになる。時間の余裕がない状況で多くの人は、功利主義よりも義務論を選択する。つまり当事者となって自分が一人を殺すことよりも、傍観者のままで五人を見殺しにする。でももしも熟考する時間が与えられるなら、功利主義を選択するかもしれない。

実際に功利主義を選択した国もある。国民を徐々にウイルスにさらすことで集団免疫獲得（つまり2のソフトバージョン）を目指したスウェーデンの死者数は、二〇二〇年夏の時点で隣接するノルウェーやフィンランドのおよそ（人口比で）一〇倍に達していた。さすがにこれはもう無理だ。この状況に国民と政府は耐えきれず、スウェーデンは従来どおりの日常を維持しながら集団免疫獲得を目指すプランをあきらめた。

普通の感覚を持つ人ならば、集団免疫を獲得するためと言われても、家族や友人が感染して重症化したり絶命したりする過程に耐えられない。つまりトロッコのジレンマの逆バージョンだ。数字の予測だけを見れば、傍観者のままでいることがより多くの命を救うことになるかもしれないが、今目の前にいる命を見殺しにすることはできない。それが近親者ならばなおさらだ。愛着や未練をデリートできるはずがない。人はそういう存在だ。ＡＩにはこれがわからない。だって情緒がない。機械的に（機械だけど）同じ結論をくりかえすばかりだ。

いずれにせよ新型コロナの収束は、人口の六～七割がワクチン接種によって免疫を獲得して集団免疫の状況を達成すれば、ほぼ現実となる。僕が甘ったるくてポエジーで楽観的な未来を夢想していた二〇二〇年夏のころは、これほど早くワクチンの開発と生産が行われるとは、僕も含めて多くの人は予想していなかったはずだ。

近代五輪のそもそもの精神は国家の対抗ではない

……とここまで書いてから、まえがきの続きに戻る。僕がもし記者で、六月二日に官邸で行われた首相のぶら下がり会見に参加していて、さらに自らの出世や場の雰囲気や上司からの叱責をまったく意に介さないタイプならば、「世界に（平和を）発信する」とオリンピック開催を強行する理由を壊れた機械のようにくりかえす首相に対して、ならばお聞きしますが、と「さら問い」するはずだ。

五輪開催を強行することは、平和を世界に発信することになるのでしょうか。それほど無条件な祭典でしょうか。一九三六年のベルリンオリンピックがナチスドイツのプロパガンダを国内外に強く発信したことは、菅首相はご存じですよね。

さらに、共産圏・社会主義国では初の開催となった一九八〇年のモスクワオリンピックでは、直前にソ連がアフガニスタンに武力侵攻したことに抗議するとして、日本も含めて五〇カ国が不参加を表明しました。つまりこのときは（アメリカなど大国のエゴや思惑の是非はともかくとして）、五輪に積極的にかかわらないことで平和へのアピールを示そうとした。どんな形であれ五輪を開催することは、平和を世界に発信することとイコールであるとのお考えは、あまりに安易ではないでしょうか。

もちろん現実には、さら問いを始めて数秒で、僕は官邸スタッフから羽交い締めされているはずだ。菅首相は不愉快そうに顔を歪めるだろうし、ルールを守れと他社の記者から罵声を浴びているかもしれない。

でももう少しだけ、妄想に付き合ってほしい。もしも質問を続けることができるなら、僕はさらにこう言いたい。国別対抗という今の五輪のスタイルは、一九〇八年の（第四回）ロンドン大会から始まっています。これを言い換えれば、近代五輪のそもそもの精神は国家の対抗ではなかったのです。「まさに平和の祭典」と首相が本気で仰るならば、その後に続けて「東京五輪では各国のナショナリズムを刺激する国別対抗をやめることにします」くらい言えませんか。日本には年末の国民的行事として紅白歌合戦があります。だから今回の東京オリンピックは男女に分かれて競います。紅白対抗ですから、綱引きとか玉入れとか騎馬戦などの競技を今回は加えます。これこそまさしく世界の連帯。平和の祭典。……何ですか？　歌はともかくスポーツで男女対抗は無理じゃないか？　ジェンダー的にも微妙だ？　……ああ確かに。ならば東西対抗にしましょう。あるいはあみだくじで紅白を決める。各国のアスリートたちには日本の小学校の運動会で児童たちが被る赤白の布の帽子を着用させる。だって世界的なパンデミック状況で人類が初めて体験するオリンピックです。そのくらいはしてもよいのではないでしょうか。

……妄想はここまでにしておこう。今日の日付は二〇二一年七月二一日。開会式まで一週間を切った。でも開催に反対する声は今も小さくない。もしもこのまま東京オリンピックの開会式が行われるなら、その後に続くパラリンピックの閉会式は九月五日になる。つまりほぼ一カ月強というか一夏の期間、日本は五輪漬けとなる。

そしてこの間にゲラチェックや入稿、印刷や製本などの過程を終えたこの『定点観測』第三弾は、九月一七日に刊行される。

つまりこの書籍を手にしているあなたは、五輪が開催されたのか中止されたのか、そしてもし開催されたのなら成功裏に終わったのか大失敗したのか、そのすべてを知っている。

このタイムラグは大きい。本来なら東京五輪については触れるべきではない。だったこのまま開催を強行するのか、開催したとしても何事もなく閉会式を迎えることができるのか、今のところ誰にもわからないのだ。予測不能な要素が多すぎるし、そもそもテーマは新型コロナであって五輪ではないのだ。

でもこの書籍のもうひとつのコンセプトは定点観測。同じ著者が同じ視点で新型コロナによって変わる社会を、六カ月のスパンを置きながら記録することが手法でありテーマなのだ。

その意図は、変化を活字として残すこと。文字は書かれたその時点で時制がフィックスするが、そうした基本的な属性に対してのアンチであり、抗いの試みなのだ。場所を定点として時制を観察する。このときに変化の主体として観察されるのは社会だけではなく、書いている自分自身もその対象になる。

だから今このときを記録する。これから状況がどのように変わるのか、あるいは変わらないのか、それはまだわからないけれど、今思うことを書きとどめる。

「いくらなんでも」の五輪

一カ月ほど前まで、いやもっと最近まで、最終的に東京五輪は中止になるだろうと思っていた。それを言葉にすれば「いくらなんでも」だ。

五月の世論調査で東京五輪開催の可否について、目にするかぎりメディア各社の調査はすべて「中止すべきだ」が最多だった。こうした声を背景に、信濃毎日新聞が五月二三日の社説で「東京五輪・パラ大会　政府は中止を決断せよ」と表明し、同二五日には西日本新聞が「東京五輪・パラ　理解得られぬなら中止を」と題した社説を載せ、同二六日には五輪の公式スポンサーである朝日新聞が「夏の東京五輪　中止の決断を首相に求める」という社説を掲げた。

でも菅政権を乗せて日の丸を掲げたトロッコは止まらない。レールを切り替えることもなければ減速もしない。国会では野党議員の質問にまったく答えようとはせず、記者たちの質問は黙殺しながら、ジレンマなど意に介せずに加速し続けるばかりだ。

ならば国民やメディアの反発はさらに先鋭化するのか。……そう思いたけれどそうはならない。現実にカウントダウンが始まって開催回避を決めるデッドラインの渦中にいる今、開催を支持する人たちのパーセンテージが、少しずつ増えてきた。

開催が一カ月後に迫る中、東京五輪・パラリンピックをどうするのがよいか三択で聞いた。「今夏に開催」が三四%（五月は一四%）、「中止」三二%（同四三%）、「再延期」三〇%（同四〇%）と割れた。五月調査に比べ、「今夏に開催」が大きく増えた（「朝日新聞」二〇二一年六月二一日付）。つまり実際に開会式の日程が迫ってきたら、反対していたはずの人たちが続々と賛成に回り始めた。

人が持つ過剰な馴致能力を、僕は今つくづく実感している。馴致能力を言い換えれば正常性バイアス。あるいは現状への過剰な適応。いい湯だなと鼻歌を唄っているうちに取り返しのつかない状況になってしまう茹でガエルの法則。あるいは、破滅が目の前に近づいているのに、そこから目をそらしてしまう梶井基次郎の法則（僕が命名した）。

何とかなるさとどこかで思っている。でも同時に、このままでは危ないともどこかで思っている。どちらも意識のどこか。顕在化しない。自分を見つめない。論理で考えない。そもそも東アジアはこの傾向が強い。なぜなら集団と親和性が高いから。そして東アジアにおいてもこの国は、特に現状を追認する傾向が強い。なぜなら韓国や中国などに比べれば、いい意味でも悪い意味でも個が弱いから。和を以て貴しとなすことが伝統的な美徳だから。

招致が決まったころの東京五輪の大義は「復興」だった。東日本大震災の被害からの復興のために東京五輪はある、との宣言だ。でも国内向けならばともかく、海外に対してこのアピールは口にしづらい。だからだろうか。コロナ禍が始まってから安倍前首相は、開催する大義を「コロナに打ち勝った証し」に変えた。

菅首相も就任後しばらくはこれを引き継いでいたが、さすがに日本の新型コロナ対策の大きな遅れが明らかになった今年一月にオンラインで出席したダボス会議では、「コロナウイルスに打ち勝った証し」に加えて「世界の団結の象徴として」を並べ、さらに四月の訪米でバイデン大統領と会談したときは、「コロナに打ち勝った証し」を封印して、「世界の団結の象徴として」だけになった。ころころ変わる理念や大義。やりたい理由は他にあるとしか思えない。

その後の菅首相は現在に至るまで、「対策を徹底することで国民の命や健康を守り、安全・安心の大会を実現する」と発言し続けている。いつのまにか「世界の団結」も消えて、最後に残されたフレーズは「安全安心」。でもこれは大義や理念ではない。国会で野党議員から、なぜリスクを冒してまで開催するのか、とこだわる理由を何度訊ねられても、「国民の命と健康を守り、安全安心な大会が実現できるように全力を尽くす」とくりかえすばかり。

大義を言わない。理由を述べない。「言えない」のではなく「ない」のだろう。愛着や未練を理解（共有）できないAI同様に、何度質問しても同じフレーズをくりかえすばかり。そんな菅首相について、政治評論家の田﨑史郎はテレビで口下手と評して擁護したが、仮に本当に口下手な政治リーダーであるならば、それは手先の不器用な外科医や高所恐怖症のとび職人に等しい。適性を間違えているのだ。
政治は言葉だ。それが劣化すれば政治も劣化する。僕たちは今、その典型をリアルタイムに目撃し続けている。
この原稿を入稿する直前、ウォール・ストリート・ジャーナル日本版（二〇二一年七月二一日付）が、菅首相へのインタビューを行った。

菅氏は、自身に近い関係者を含めた人々から五輪を中止することが最善の判断だと、これまで何度も助言されたと明かした。「やめることは一番簡単なこと、楽なことだ」とした上で、「挑戦するのが政府の役割だ」と語った。

いやいや違うよ。政府は安易なギャンブルなどすべきではない。もちろん、時には一か八かの選択を迫られる場合はある。でもこの場合の挑戦が成功したとして、その成果はオリンピック東京大会の成功とあなたへの称賛だ。そして寺銭は国民の命と日常だ。どちらが大切なのか。何に酔っているのか。この記事では、以下のような記述もある。

ただ菅氏は、競技が始まり、国民がテレビで観戦すれば、考えも変わるとして自信を示した。

悔しいがこれは認める。僕もそう思う。五輪期間中によほどの感染爆発が起きないかぎり、国民は始まってすぐにテレビ観戦に熱中するし、パラリンピックが終わるころには、いつのまにか支持率も回復していることは予想できる。

だからあらためて書く。劣化した政治だけではなく、劣化した社会の姿も、僕たちは今、リアルタイムに目撃し続けている。

（二〇二一年七月）

Ⅳ 狂喜

ニヤニヤと書くかニコニコと書くか、あなたは無意識に選択している

最初に告白する。僕はきわめて中途半端なテレビ・ディレクターだった。性格や技量について、ではない。いやそれもきわめて中途半端ではあったけれど、中途半端であったことの最大の問題は、(表現の一分野である)ドキュメンタリーと(事実を伝える)報道という二つのジャンルを、しっかりと峻別しないままに自分のテリトリーにしていたことだ。

メディア報道には、大きく分けて二つのカテゴライズがある。捜査当局や行政機関、企業などのリリースやブリーフィング、レクなどに依拠する発表報道(日々のニュースの多くはこれ)と、報道機関が独自の調査やリークによって新しい事実や視点を発見して伝える調査報道だ。後者の代表例としては、ニクソン大統領を辞任に追い込んだワシントン・ポストによるウォーターゲート事件報道や朝日新聞によるリクルート事件報道、文藝春秋による田中角栄金脈問題報道などがある。

最近はあまり見かけないけれど、僕が現役のころは各局の夜のニュース番組で調査報道

の成果が、特集枠として毎日のように放送されていた。なぜならば調査報道と発表報道は、ジャーナリズムにとっては両輪だ。もしも発表報道だけならば、それは今の北朝鮮や中国のメディア、あるいはかつて大日本帝国時代の新聞がそうだったように、管制報道と変わらない。

現在、調査報道を看板にする番組の代表は、TBSの『報道特集』とNHKの『クローズアップ現代』だ。僕が現役テレビ・ディレクターのころに比べれば少なくなったけれど、文春砲などが示すように記者クラブに入れない雑誌ジャーナリズムが、今はその欠落を補完している。

『ニュースステーション』や『NEWS23』の特集は、当時の僕にとって重要なフィールドだった。並行してドキュメンタリーも撮っていた。自分の中では明確な差異はない。なぜならどちらのジャンルにおいても、公正中立で客観的であることは大前提で共通していると思っていたからだ。

まだ駆け出しのAD時代、最初に現場で教えられたのは、カメラから身を隠す技術だった。現場ではカメラマンの背後にいるように心がけろ。映り込むのはADとして最大の恥辱だと思え。ただしいきなりカメラが向きを変える瞬間がある。間に合わないと判断したときは、何食わぬ顔をしてたまたまその場にいた通行人のように振る舞え。あわてる様子が映り込むことがいちばんダメだ。

先輩ディレクターの口癖は「黒子に徹しろ」だった。それが客観性を担保する。ドキュメンタリーは中立であらねばならない。俺はこれまで自分の息遣いすら作品に入れたことはない。わかるか。それがドキュメンタリーだ。

補足せねばならないが、先輩たちより二回りほど上の世代が一線で活躍していた時代、つまりテレビ黎明期、NHKでは吉田直哉が野心的な録音構成（音が優先するラジオ・ドキュメンタリーの手法）のドキュメンタリーを量産し、田原総一朗が東京12チャンネル（テレビ東京）のゴールデンタイムで主観的で悪辣なドキュメンタリーを発表し、TBSを退社した萩元晴彦と村木良彦、今野勉たちがテレビマンユニオンで実験的でラジカルなドキュメンタリーを制作し、牛山純一が日本テレビで大島渚や土本典昭らを起用して社会派ドキュメンタリーを作りながらタブーに切り込み、その大島が在日韓国人で傷痍軍人となった元皇軍兵士を被写体にして何の保障も国家から与えられない過酷な生活を接写しながら「日本人たちよ。私たちよ。これでいいのだろうか」とナレーションで問題提起する作品を演出し、RKB毎日放送で木村栄文が現役のヤクザの親分を被写体にしながら銭湯でその背中を流すディレクター役として自身が出演するドキュメンタリーなどを発表していたころは、彼らドキュメンタリストたちの多くは、中立性や客観性などに価値どころか関心もなかったはずだ。

でもその後に、テレビが圧倒的な存在感を持つメディアとなる（テレビ局が企業として成熟する）過程と並行して、ドキュメンタリーは毒を抜かれ、リスク回避の傾向が強くなり、中立公正で客観的であることが前提になってしまっていた。

ただし、そうした認識は後付けだ。新米ディレクターだったころの僕はそんな歴史を知らないまま、先輩ディレクターたちの言うことを額面どおりに受け取って、公正中立であることはテレビ・ドキュメンタリーの神髄なのだと思い込んでいた。だからこそドキュメンタリーとジャーナリズムの二つを区分けしないまま、違和感なく自分のフィールドにすることが可能だった。

テレビがオウムで犯したタブー

その意識が変わったのは一九九六年。一九九五年三月に起こった地下鉄サリン事件後のオウム真理教の信者たちを被写体としたドキュメンタリーを撮っていた僕は、二回めのロケを終えた直後に、所属していた共同テレビジョンのプロデューサーから撮影についての懸念を伝えられ、やがて中止を言い渡された。これには伏線がある。TBS事件だ。

一九八九年一〇月二六日、オウム真理教を批判する特集を翌日に放送する予定だったTBSのワイドショー『3時にあいましょう』のプロデューサーが、局を訪ねてきたオウム幹部たちにオウム批判の急先鋒だった坂本堤弁護士のインタビュー映像を見せ、要望に応じて放送を断念した。この九日後に坂本弁護士一家殺害事件が発生する。映像が関連した可能性は高い。しかしこの経緯が明らかになったのは一九九六年三月二五日だ。つまり同番組は、七年近く沈黙していた。

事態が明らかになると同時にTBSへの批判は過熱した。磯崎洋三社長は緊急記者会見を行って謝罪しながら、番組プロデューサーの懲戒解雇処分を発表し、『3時にあいましょう』の後続番組だった『スーパーワイド』などワイドショー番組を終了させるだけではなく、情報系番組を管轄していた社会情報局も廃止された。テレビ局の不祥事としては、相当に徹底した処置だ。明らかに過剰だ。言い換えればそれほどに、社会全般が抱くオウムへの憎悪は強かった。

萎縮を進行させたメディア

同時にこの時期、激しくＴＢＳを叩きながら、他のメディアは自らの萎縮を進行させた。なぜなら地下鉄サリン事件以降、オウムは視聴率や部数に大きく貢献するキラーコンテンツとなっていた。タイトルにオウムの三文字が入るだけでテレビは高視聴率が約束され、活字媒体は高い部数を達成することができた。だからこそ各メディアは常軌を逸した取材を続けていた。危険性を煽れば煽るほど視聴率や部数は上がるのだ。

オウムは核兵器を保持していると報じた週刊誌があった。記事を読んだけど根拠は何も示されていない。でも日本社会のサンドバッグとなっていたオウムからは抗議など来ない。だからメディアはエスカレートする。

オウム施設内で撮影を続けていたからこそ、他のメディアの隠し撮りややらせまがいの取材は日常的に目撃し続けていた。自分たちの撮影を終えてから、祭壇の仏具をこっそり持ち帰ったテレビクルーがいた。スタジオで話題にしようとでも思ったのだろうか。重要な仏具だったらしく、なくなっていることに気づいた信者は顔色を変えてクルーを追いかけて、仏具を取り戻した。こっそりと盗んだことにも驚いたけれど、問い詰められてあっさりと返したことにも驚いた。罪の意識がないとしか思えない。やっぱりばれちゃったかとクルーは笑っていた。

オウムという悪の特異点に対峙しているという意識が、常軌を逸した取材についての抑制や後ろめたさを揮発させていたのだろう。オウムは叩けば叩くほど視聴率や読者を稼ぐコンテンツなのだ。無軌道な取材は多くのメディアに共通していた。

叩かれれば自分たちも埃《ほこり》が出ることは、多くのメディアが内心では自覚していた。だからこの時期、激しくTBSを叩く過程と並行して、メディアは自らの萎縮を進行させた。だって明日は我が身なのだ。

こうしてTBS事件以降、オウムはメディアにとって要注意案件となり、オウム関連の番組は一気に減少し、幹部のインタビューをテレビは放送しなくなった。理由はオウムのプロパガンダになるから。これには脱力するほどにあきれた。このロジックを使えば何も報道できなくなる。そしてこの予感は的中する。

TBS事件から約九カ月後の一九九六年一二月、左翼武装組織のトゥパクアマル革命運動（MRTA）が在ペルー日本大使公邸を占拠し、日本大使館員や日本企業のペルー駐在員らが人質となる事件が起きた。占拠は四カ月に及び、共同通信の原田浩司カメラマンに続いてテレビ朝日系列局の人見剛史記者が単独で公邸内に潜入してMRTA幹部へのインタビューを敢行したが、二人の行動は大きく批判され、テレビ朝日は人見記者が撮ったMRTA幹部へのインタビュー映像を、彼らのプロパガンダに協力することになるとの理由で封印を決定して、伊藤邦男社長は会見で謝罪した。このときは脱力しすぎて寝込むほどにあきれた。

……ちょっとだけスピンオフのつもりが踏み込みすぎた。ただしこのスピンオフの方向も、今回の趣旨と本質は共有している。TBS事件直後に僕を呼び出した共同テレビジョンのプロデューサーは、凶暴で冷酷なオウムをもっと強調して反オウムのレポーターを起用しろなどと命じ（リスク管理という言葉を何度も言われたことを覚えている）、即答しない僕に不満を洩らし、その後に経緯はいろいろあったが、最終的に彼は（フジテレビ上層部も同意したとして）この作品の制作中止を宣言した。

会社からは新たなレギュラー番組（ざっくりいえば政府の広報番組だ）のディレクターに指名されたが、Hi8《ハイエイト》のハンディカメラをバッグに入れて、僕はオウム施設に通い続けた。もちろん撮影は仕事が休みの日だ。もしもこの動きを咎《とが》められたら、趣味で撮影していますと弁解するつもりだった。バードウォッチングや鉄オタと同じです。でもそんな理屈が通るはずもなく、やがて僕は（組織にとって危険な動きをしているとして）解雇を言い渡された。

その後は単独の撮影を続けながら、新しい制作環境を探し続けた。撮った映像をざっくりと編集して、在京テレビ各局や制作会社のプロデューサーに見せ、出版社の映像事業部にまで持ち込んだが、そのすべてからこんな映像を世に出すことに加担はできないと拒絶された。テレビをあきらめて自主制作映画としての可能性を考え始めたころに、日本映画学校（現・日本映画大学）でドキュメンタリーを教えながらフリーの立場でプロデューサーをしていた安岡卓治を紹介された。自主制作映画出身の安岡は、その道筋とノウハウを具体的に僕に示し、それから残り一年の撮影と半年の編集期間を二人で並走して、一九九八年に『A』は完成した。

今も時おり思う。なぜ自分はオウムの撮影を続けたのか。理由は自分でもよくわからない。でも予感はあった。特に安岡に出会うまでは、撮影クルーを失ってハンディカメラを手に一人でオウム施設に通いながら、表現について、ジャーナリズムについて、組織と個について、僕は自問自答し続けた。だって現場でも行き帰りでも常に一人なのだ。自問自答するしかない。

五人めの家族が産まれる直前だった。生活はどうなるのか。自分はテレビ業界に戻れるのか。社会人として何かを間違えたのか。内心は焦燥しながらも、自分は大切な何かに触れかけているとの直感があった。だから撮影を止めようとは思わなかった。

一人で撮って気づいたこと

この時期に信者の一人から、カメラを向けられるとエネルギーが乱れると抗議されたことがある。集まってきた他の信者たちも、修行に集中できない、などと不満を訴えた（オウム信者は声を荒らげたりはしない。淡々と主張するだけだ）。彼らに対応しながら僕はこっそりカメラのスイッチを入れた。このときは作品のメインの被写体である荒木浩・広報副部長が、「あと数回の撮影だから」と（ただしそれはテレビ放送を前提にした約束であり、結果的に撮影期間は一年半になった）信者たちを説得してくれた。以下は拙著『「A」撮影日誌─オウム施設で過ごした13カ月』（現代書館）からの引用だ（一部修正）。

やっと納得した信者たちが別室に行ってから、荒木浩はぽつりと言う。

「カメラ、回っていましたね」

まさしく顔から火が出た。ジャーナリズムとしては正当な行為なんだと自分に対しては正当化できても、取材対象者である彼らに対しては遠吠えにすらならない。相手や状況によって破綻する論理なら、やはりどこかに無理や欠陥があるということなのだろう。

そういえばカメラを回しながら、今までは無自覚にルーティンワークとして実践していた方法や手法をとることに、どうしても気後れが先に立つことに気づき始めていた。自分自身でカメラを回していることも遠因なのかもしれないが、「撮る」という行為にまとわりつく奇妙な後ろめたさがどうしても払拭できない。

それまでの現場は、ENG（カメラマン、ビデオエンジニアなどで構成される撮影クルー）と常に一緒だった。映像を撮るのはカメラマンだ。もちろん現場では、あれを撮ってくれとかここからパンしてくれなどと指示することはあるが、基本的にはカメラマンの感性に任せなければならない（だからこそカメラマンとディレクターの関係は重要だ）。でも自分で撮影しなければいけない状況に追い込まれ、そして気がついた。カメラワークは主観なのだ。客観性など欠片もない。引用を続ける。

傍らを通りかかった信者から、「五階の引越しの準備をするけれど撮りますか」と話しかけられる。つい先日、彼から撮影に関しての抗議を受けたこともあって、思わず小柄なその体軀を抱きしめたくなる。実行したのなら、エネルギーが最大限に汚染されると彼は卒倒するだろうが。

僕の記憶では、五階はいまだにマスコミには一度も公開されていないはずだ。事務机やロッカーを運ぶ信者たちを横目に、「正大師・尊師専用」と表示されたバスルームを撮る。浴室の隅に、今度は「尊師専用」とマジックで書かれたシャンプーを発見して、思わずレンズを近づける。ズームの角度やテンポを変えながら何パターンか撮影をくりかえすうちに、「尊師専用」の文字に小躍りして撮る自分の姿そのものが、意識の裡ではいつのまにか被写体になっていて、説明しがたい虚しさに近い感覚が、胸いっぱいに広がっていた。シャンプーはどこにでもある花王のシャンプーだ。しかし「尊師専用」の文字が呪文のように、このシャンプーを撮影対象に変えてしまう。

カメラワークとは感情表現でもある。例えばズームアップとズームバックとでは、観る側に喚起される感情は真逆だ。ならばそれは誰が選択するのか。撮影（あるいは編集）している自分自身だ。その当たり前な事実に、僕は初めて気がついた。

ENGを奪われたことで、それまではカメラマンに任せていた映像を、自ら撮影しなくてはならない状況に僕は追い込まれた。もちろん、これまで撮影の訓練などしていない。

運動会で走る子どもを撮るために初めてビデオカメラを手にしたお父さん状態だ。ブレブレで不安定。ピントも甘い。意味なくズームをくりかえす。

でも記録された映像を観ながら、これは混沌とした多面的な世界から自らの判断で切り取った視点なのだと気づく。その主観の果実を取捨選択し、さらに編集作業という作為的な加工が施されて、ようやく作品は完成する。徹底した主観と作意。そこに中立や客観などの概念が入り込む余地はまったくない。

パンやズームだけではない。映像にはフレームがある。サイズとアングルはカメラマンが選択している。つまりAさんとBさんとでは違う。僕とあなたも違う。そして視点が変われば世界は変わる。

ライオンとガゼルへの視点

あなたは動物ドキュメンタリーを観ている。例えばNHKの『ダーウィンが来た!』。今回とりあげる動物はサバンナに暮らす母ライオンだ。最近仔ライオンが三頭生まれた。しかしこの年のアフリカは乾季が長く続き、草が生えないのでライオンの獲物になる草食獣が少ない。

母ライオンは飢えに苦しんでいた。乳も出ないから、三匹の仔ライオンも痩せ細って衰弱している。

その日、母ライオンは久しぶりに獲物を見つけた。二匹のガゼルだ。大きさが違うから親子かもしれない。弱った自分の足では親のガゼルを仕留めることは無理かもしれないけれど、仔ガゼルなら追いつくはずだ。母ライオンは風下から少しずつガゼルに近づく。この狩りに失敗したら、仔ライオンたちは早晩に衰弱して死ぬだろう。

このときテレビを見ているあなたは、頑張れと母ライオンに声援を送るはずだ。狩りに成功して仔ライオンの命を救ってくれ、と願うはずだ。

この一週間後の夜七時半、あなたは再び『ダーウィンが来た！』にチャンネルを合わせる。今週はガゼルのドキュメンタリーだ。この年のサバンナは乾季が長く続いて草が少ない。群れからはぐれてしまった母ガゼルと生まれたばかりの仔ガゼルは、少ない草を求めてサバンナをさまよい続け、ようやく草地を見つけた。母と仔は必死に草を食《は》む。そのとき、ロングにズームしたカメラが、遠くに隠れている痩せた雌ライオンを捉えた。母と仔のガゼルは気づいていない。雌ライオンは少しずつ近づいてくる。

このときあなたは、早く気づけと願うはずだ。凶暴そうな雌ライオンが近づいている。

早く気づいてその場から逃げろ。逃げて生き延びてくれ。

これが視点だ。どちらも嘘ではない。とりあえずは事実そのままだ。ところが視点を変えるだけで、世界は猫の目のように変わる。

サバンナでカメラを手にしながら、どうやれば中立を実現することができるのか。ライオンとガゼル双方から等分の距離で交互に撮るのか。そんなこと物理的に不可能だ。観る側も混乱する。あなたはロシアとウクライナの戦争を記録するジャーナリストだ。イラク戦争でもいいしベトナム戦争でもいい。あなたはどこに立つのか。ロシア軍とウクライナ軍の中間か。米軍とイラク軍から等距離の位置か。北ベトナムと南ベトナムの境界に立ってそれぞれを撮るのか。レンズはどちらに向けるのか。

いずれにせよ次の瞬間、あなたは銃撃されているはずだ。だからこそ戦場ではエンベッド（従軍）が不可欠だ。つまり中立などありえない。どうしても等分に撮りたいならば、一八〇度のパンを定期的にくりかえすカメラだけを中間の位置に置けばいい。編集などの手もいっさい加えない。でもそれは作品ではない。言ってみれば監視カメラの映像だ。

僕はとても当たり前のことを書いている。表現とは主観である。映像だけではない。あなたは誰かの笑みをニコニコと表現する。でももしも、その誰かに対しての好感度が低いのなら、その笑みをあなたはニヤニヤと描写するはずだ。

アイドルやスポーツ選手が記者会見で笑えばニコニコ。でもプーチン大統領が記者会見で微笑めばニヤニヤ。野党を応援する人にとってニヤニヤに見える自民党幹部の笑みは、自民党を応援する人の視点ではニコニコになる。そんな事例はいくらでもある。事実は書けない。書けるのはそれぞれの視点（主観）なのだ。

誰が中立を決めるのか

『広辞苑』は中立の定義を、こう規定している。

①いずれにもかたよらずに中正の立場をとること。「――の思想」
②いずれにも味方せず、いずれにも敵対しないこと（以下略）

この場合の「いずれ」は、敵対や相反する二つの要素だ。A点とB点双方から等距離にあるC点が中立。なるほど。それは確かにそうだ。でもならば問いたい。A点とB点の位置は誰が決めるのか。それが違えばC点の位置も変わる。

誰かが座標軸を設定しなくてはならない。ラインなど引かれていない。現実はグラデーションだ。関西の人はエスカレーターで右側に立って左側を空ける。関東の人は左側に立って右側を空ける。それは確かに事実。でもならば境界はどこか。滋賀県なのか岐阜県なのか。いずれにせよ明確なラインなどない。世界はグラデーションだ。線などどこにもない。

中立の位置に立つのなら、どこかに無理やりラインを引かなくてはならない。その位置を決めるのは誰か。ラインを引く（座標軸を設定する）人の政治的信条や思想、あるいは嗜好によって位置は変わる。ならば二つの点の中間にマークしたとしても、恣意性からは結局のところ逃れられない。

『A』や『A2』を発表したころ、上映会などで時おり、「やっとオウムについての真実を知ることができました」と言われることがあった。嬉しい。できることならこの場でハグしたい。でも言わねばならない。この映画は僕の視点です。もしもあなたが同じ時期にオウム施設に潜入してカメラを回していたとしたら、まったく違う作品になっているはずです。

組織を離れて一人でカメラを手に撮影したことで、中立で客観的な映像などありえないことに僕は気がついた。だって表現なのだ。主観で当たり前。客観的なベートーヴェンの交響曲をあなたはイメージできるだろうか。中立公正なピカソの「ゲルニカ」に意味はあるのだろうか。問題はむしろ、主観を隠して中立や客観を装うことだ。

表現領域におけるこの原則は、活字や映像など媒介を使うかぎり、報道の現場においても同様に働いている。ニヤニヤと書くかニコニコと書くか。あなたは無意識に選択しているはずだ。ただし報道の場合は、ベクトルが微妙に違う。公正中立を目指すことは間違いではない。できるかぎり多くの人の声を聴く。多くの視点を試す。客観性を模索すべきだ。ただしその場合も、そもそも情報は主観であって中立の位置など誰にもわからないことを、しっかりと自覚しておくことは前提だ。

記述はニコニコでもニヤニヤでもいい。あなたが本当にそう感じたのなら、それはあなたにとっての真実だ。ただし総理や官房長官の記者会見でニヤニヤと感じたのにニコニコと書くのなら、あるいは内心は好感を持った被告人なのに視聴者や読者から抗議が来ることを危惧してニコニコをニヤニヤにするならば、あなたはその瞬間に自分の主観を裏切ったことになる。

ジャーナリズムの基盤は一人称単数を主語にした疑問や使命感。悲しみや怒り。それをごまかしてはいけない。しっかりと示せ。自分を裏切ってはいけない。

メディアは情報を四捨五入する。ラインを無理に引く。それは仕方がない。これを全否定するほど僕も青臭くはない。だって商品なのだ。つまり情報パッケージ。これを作るためには加工しなければならない。色を塗ったり研磨したりすることもあるかもしれない。時にはインパクトの強い見出しなどの包装も必要だ。

でも商業主義に埋没しかけながら、「後ろめたさ」や「負い目」は保持し続けてほしい。いつも胸を張っていて自信満々なジャーナリストなど、僕は信用しない。後ろめたさを常に引きずること。負い目で伏し目がちで、おどおどと挙動不審なくらいがちょうどよい。でも大切な仕事なのだとこっそりと胸を張ること。

空は青で樹は緑。これは情報。でも実際にはいろんな色が混在している。一色ではない。さらに、どこから見るかでまったく変わる。

だからこそ世界は豊かで美しいのだ。

（二〇二一年四月）

忘れたくない。馴れたくない。

齢《よわい》五十になる男がいる。中肉中背。年甲斐もなく髪は中途半端なロンゲ。千葉県と茨城県の県境のあたりに居住している。

名前は緑川南京。奇妙な名前だけど本名だ。南京と書いてナンキョウと呼ぶ。でもそう呼ぶ人はまずいない。ナンキンだ。子どもの頃はこの名前が嫌だった。中学のときに社会科の教師に「大虐殺くん」と冗談で呼ばれ、それ以後このニックネームが定着しそうになり、さすがにこのときは泣きながら職員室で抗議した。一度父親に「どうしてこんな名前をつけたんだ?」と訊いたら、先祖が京都の南のほうにいたらしいからと真顔で説明された。「だから誇りをもて」と言われたが、先祖が京都の南のほうに住んでいたことがなぜ誇りになるのか、いまだによくわからない。

仕事は自営業だ。ただし店舗を持っているわけではないし、会社を経営しているわけでもない。妻が一人に子どもが二人。とりあえずは彼らを扶養している。

生計の糧としては執筆だ。かつてはテレビのディレクターをしていた。自主制作のドキュメンタリー映画を作っていた時期もあった。でもここ数年は、一日の大半を机の上のパソコンに向かい、キーボードを叩くことで過ごしている。新聞や雑誌への連載も複数あるし、著書として刊行された書籍もいくつかある。有名ではないがまったくの無名でもない。

という書き出しで始まる小説『虚実亭日乗』（紀伊國屋書店）を上梓したのは二〇一三年。永井荷風の「断腸亭日乗」をパロディにしたタイトルとこの書き出しからわかるように、書き手である僕自身の日常を虚実ないまぜに面白おかしく書くことを趣旨にした一冊だ。……面白おかしくなどと自分で書くのは、さすがに厚顔すぎてみっともないか。その企てがどこまで成功したかわからない。

出版担当編集者はいろいろ頑張ってくれたけれど、案の定というかなんというか、僕の力不足で初版どまりだった。申し訳ない。

まあとにかく、読んだ人は日本で数千人いるかいないか。この書籍の読者とかぶることもあまりないはずだ。もう少し引用を続ける。

南京の公式な肩書きは、「映画監督・作家」となっている。かつては「テレビディレクター」や「映像作家」と呼ばれる時期もあったが、このところよく使われるのは「ドキュメンタリー作家」だ。

でも実は当の本人である南京には、この肩書きの意味がよくわからない。ドキュメンタリーなる言葉が示すジャンルは、普通なら映像のはずだ。ならばドキュメンタリー作家を言葉どおり解釈すれば、「ドキュメンタリー映像を作る人」という意味になるのだろうが、ここ数年は映像から距離を置いている。一時はノンフィクション作家なる肩書きを使った時期もあったけれど、これもまた、ノンフィクション（作りものでないもの）の作家（作る人）なのだから、明らかな論理矛盾で意味不明だ。

どちらかといえば子どもの頃から、そんなことをうだうだと考える性格だった。でもそんなことをうだうだと考えていたら、結局のところは身動きがとれなくなる。実際に南京もそうなった。「ご職業は？」と質問されたとき、どう答えればよいのかわからなくなってしまったのだ。「昔はテレビの番組を作っていまして、ドキュメンタリー映画を自主制作で二本ほど作ったこともあるのですが、最終的には興行は赤字でしたから、少なくとも職業監督ではないですね。最近では執筆が多いです」などと、どうしても説明が長くなる。「執筆のほうはノンフィクションですよね?」などと念を押されたりしたら、「いや、ほとんど売れなかったけれど、小説も書いています。それにそもそも表現であるかぎりは、純粋なノンフィクションなどありえないわけで、その意味では文章も映像も、すべてはフィクションです。でもフィクション作家という呼称も変ですよね。困ったな。どうしましょう」などと最後には自問自答しながら、何を言いたかったのか自分でもわからなくなってしまう。

いっそのこと「作家」とだけ自称できれば、楽になるだろうなとは思う。でも南京はうだうだと物事を考える性格のうえにうじうじと自信薄弱で小心者でもあるので、この作家なる肩書きをすんなりと使うことが、今のところはどうしてもできない。実は過去に数回だけ新聞のインタビューの際に「肩書きはどうしましょうか?」と訊ねられて、思いきって「作家にしてください」と小声で答えたことがあるのだが、うなずきながらメモをとる記者の横顔に「また大きく出たね」というような揶揄の気配が浮かんだような気がして、そのたびに言わなきゃよかったと後悔した。だからそれ以降は使っていない。作家を自称できるようになる日は、まだまだ先のことだと思うようにしている。

この『虚実亭日乗』の刊行は（前述のとおり）二〇一三年。僕の著作の中では多少は売れた『ドキュメンタリーは嘘をつく』（草思社）は二〇〇五年。つまりこの時期（あるいはもっと前）から現在に至るまで、僕は虚実に惹かれ続けている。いや惹かれているわけではなく、それが表現の本質だと思っている。

どうしてそのような志向を持ったのか。理由は二つある。ひとつはドキュメンタリーを撮ることを仕事にしていたから。

初映画作品である『A』（一九九八年）を撮る過程で局から撮影中止を命じられて、でもあきらめることができないまま仕方なく自分自身でカメラを手にしたことで、ドキュメンタリー作品で再現される世界は、カメラが現実から選んだアングルとフレームによって切り取られた世界なのだと実感した。

もっと早く気づけよと自分でも思うけれど、『広辞苑』でもドキュメンタリーについては、「虚構を用いずに、実際の記録に基づいて作ったもの。記録文学・記録映画の類」などと定義しているし、先輩ディレクターやプロデューサーたちからは事あるごとに、ドキュメンタリーは客観的であるとか中立公正を忘れるなとかおまえの作品はわかりづらい、などと言われ続け、ドキュメンタリーは公正中立で虚構など欠片もなく客観的でわかりやすい表現なのだと愚直に思い込んでいた。

だから、カメラを手にオウムの施設に一人で入ったときの覚醒は大きかった。結果的に『A』は、テレビ・ドキュメンタリーとして撮り始めて、すぐにテレビから拒絶され、撮影と編集が終わったころにはドキュメンタリー映画になっていた。南京にとっては映画デビュー作であり、だからこそこの作品の影響は大きい。自分自身にフィードバックしたのだ。

意図的で恣意的な要素は、撮影時のアングルとフレームだけではない。撮った映像は必ず編集される。つまり取捨選択が行われる。このときにディレクターの主観は、当然ながら反映される。同じ素材でも編集する人が三人いれば、それぞれ三通りの作品になる。

映像の編集はモンタージュを基本とする。違うカットの組み合わせで意味を作るのだ。作る側の作為がなければ成り立たない。同じ素材から被写体を冷血で悪辣な人に描くこともできるし、底抜けの善人に描くこともできる。そしてその選択は、撮影や編集するポジションにいる側からの被写体に対する主観の反映なのだ。言い換えれば解釈。嫌な奴だと思っているなら嫌な奴に編集する。意図的ではなくてもそうなってしまう。もちろん、好意を持っているなら善人に編集する。要するにニヤニヤとニコニコだ。これのどこが公正中立で、客観的なのか。

虚実に惹かれ続けているもうひとつの理由は、所属していた制作会社と上司の指示にそむいてオウムを撮り続けたことで、結局は会社を解雇されてひとりになってしまったことの影響も大きい。

仕事の現場ではそれまで、局や会社や撮影クルーが主語だったのに、強制的に一人称単数が主語になってしまった。テレビなどがナレーションでよく使う「我々は○○に向かった」ではなく「僕は○○に向かった」。この違いは大きい。主語が一人称単数に変われば述語も変わる。その述語が自分自身にフィードバックする。それまで正しいと思っていたことの別の側面が見えてくる。新たな視点だ。そして気づく。世界は複雑だ。多面的で多重的で多層的なのだ。僕たちはそのひとつを無自覚に選択しているに過ぎない。

それは僕にとっては真実かもしれない。でも真実は人の数だけある。彼が良き人か悪い人か、その解釈は人によって違う。本人にとっては実であっても、他の人から見たら虚に見えるだろう。それが世界だ。

現象に立ちどまって「あるのはただ事実のみ」と主張する実証主義に反対して、私は言うであろう、否、まさしく事実なるものはなく、あるのはただ解釈のみと。(中略)

総じて「認識」という言葉が意味をもつかぎり、世界は認識されうるものである。しかし、世界は別様にも解釈されうるのであり、それはおのれの背後にいかなる意味をもってはおらず、かえって無数の意味をもっている。

世界を解釈するもの、それは私たちの欲求である、私たちの衝動とこのものの賛否である。いずれの衝動も一種の支配欲であり、いずれもがその遠近法をもっており、このおのれの遠近法を規範としてその他すべての衝動に強制したがっているのである。

（『ニーチェ全集〈13〉権力への意志 下』ちくま学芸文庫）


事実はない。あるのは解釈だけ。ほぼこれに尽きる。緑川南京はニーチェほどに思慮深くはないが、ずっとテレビの仕事をしてきて初めての映画を撮る過程で、バカはバカなりにいろいろ考えた。強制的に考えざるをえない局面に追い込まれてしまった。

今回の原稿はその南京の視点で、新型コロナと日本社会の現状について書こうと思う。決してネタ切れしたわけではないし、定点観測というルールは忘れていない。南京は僕の分身だ。定点は変わらない。ただしフィクションを交えることで視点は変わる。同じ場所に立っていても、どこを見るかで世界は変わる。時制は二〇二一年一二月二九日。これまで見えなかったことが見えてくるはずだ。

ところまでを書いてから、南京は部屋の隅に置かれた小さなテレビ画面に視線を送る。最近はテレビ受像機を家に置かない友人が増えてきた。理由は時間の無駄だから。確かに一理あるとは思う。日々のニュースを知るためだけならばテレビは必要ない。ネットやデジタル化された新聞だけで十分だ。

でもメディア批評が仕事の一部である南京にとって、日々のテレビニュースを視聴することは欠かせないし、それに民放地上波のバラエティやドラマなどは確かに観るだけ時間の無駄というべき番組ばかりだけど（例外はある）、NHK-BSで放送される生きものや世界のドキュメンタリー、世界街歩きや映像の世紀シリーズは見ないわけにはゆかない。

とにかく南京は、テレビにリモコンの先を向けてスイッチを押す。ニュースが始まっていた。東京と愛知、京都、大阪、福岡に加えて、オミクロン株の感染者が富山と広島でひとりずつ確認された。広島で感染が判明した人は海外からの帰国者ではないため、市中感染がついに始まったとの見方が有力だ。

テレビのスイッチを切ってから、南京はしばらく考える。オリンピックが終わった二〇二一年九月以降、日本の新型コロナ感染者は急激に減少した。開催中は急増していたのに。理由はよくわからない。専門家も首をひねっている。

ただし数日前から、オミクロンの感染者が国内でも少しずつ増えてきた。国外ではもっと劇的に増えている。アメリカやヨーロッパ各国では連日のように、新型コロナの新規感染者数最多記録を更新している。

二〇二一年一二月二九日、WHOのテドロス・アダノム・ゲブレイェスス事務局長は、「デルタ株とオミクロン株の組み合わせが新型コロナウイルス感染症の『危険な感染の津波』を引き起こしていて、疲弊した医療従事者と崩壊間際の医療制度に、今後も大きな負担をかけるだろう」と危機感を表明した。

今のところ日本においては、まだ医療崩壊的な事態にはなっていない。でも今後はわからない。二〇二一年六月下旬から始まった第五波は、東京オリンピックを挟みながら急激に感染者数を増やし、全国では八月二〇日に過去最多となる二万五八七六人の新規感染者数を記録して、ほぼ医療崩壊していた。それ以降は(理由はわからないが)減少に転じたが、今はオミクロン株の脅威が世界に広がっている。

ただし吉報もある。オミクロン株は変異の最終形との説だ。もちろんあくまでも仮説だが、ウイルスの変異を長期的に見れば、必ず弱毒化の方向に進む。つまり人類と共存したがっているのだ。実際にヨーロッパなどの統計は、これまでの株に比べてオミクロンの病原性はかなり低いとの見方を示している。

さらに、オミクロン株の伝播力は、デルタ株などこれまでの株に比べるとはるかに強い。南アフリカではデルタ株の三倍、イギリスではデルタ株の五倍くらい流行しやすいという統計も公開されている。感染しやすいなら喜べないとあなたは思うかもしれない。でも生きものには生態的ニッチ（テリトリー）がある。ウイルスを生きものと断定できるかどうかはともかくとして、オミクロン株の感染力が本当に強いのなら、デルタ株などこれまでの厄介な株を駆逐する可能性がある。

ならば、新型コロナの時代は収束するのかもしれない。終息ではない。収束だ。

もちろん、現段階でその断言はできない。佐藤佳・東京大学医科学研究所准教授（現教授）は、オミクロン株の病原性が低いとの結果を示した実験結果について、「あくまでも従来株やデルタ株に比べて、オミクロン株の病原性が弱いということ。ただ、ハムスターでも肺炎が起きている。だから〝風邪と同じ〟と考えるのは非常に危険。感染数が増えれば重症化する人も一定数出てくる。オミクロン株は、デルタ株に比べ、感染する確率が高いウイルスなので、個人ができる対策は、しっかり続けていくべき」と話している。

いくつかの資料を読みながらオミクロン株についてしばらく考えていた南京は、ふと壁の時計に視線を送り、あわてて目の前に置かれたノートPCのZoomのアイコンをクリックした。朝日カルチャーセンター名古屋教室（以下、朝カル）が主催する「新型コロナウイルスと私たちの社会　オンライン講座」の時間が迫っていた。今日の対談相手はアメリカ在住の町山智浩だ。

書籍『新型コロナウイルスと私たちの社会』からスピンオフの形で始まったこの企画は、執筆者のひとりである上野千鶴子が朝カルに提案して始まったと聞いている。それが一年前。初回の対談相手はもちろん上野だった。それから毎月、同書の執筆者の誰かとオンライン講座を重ね（毎月の人選は朝カルに一任していた）、今回の町山でとりあえずは最終回のはずだった。でも年が明けた二〇二二年の一月に、上野千鶴子ともう一回対談してもらえないかと朝カルから提案された。それもこれまでの六〇分から九〇分に拡大したスペシャルバージョンだ。

すでに上野は了解しているとのことなので、断ることなどできるはずがない。でも実のところ気が重い。上野と話すことは楽しいのだが、テーマがジェンダーがらみになることは予想できる。ところが昭和生まれの南京は、ジェンダー的なアンテナが決して鋭くない。女性蔑視の感情は自分の中に微塵もないと思うが、それは女性を見下すかのような発言をして東京オリンピック・パラリンピック組織委員会の会長を辞任した森喜朗も同じだろう。

自分の中に差別意識はないから問題はないと考える人は多い。それは大間違い。無自覚な差別的言動が問題なのだ。これはジェンダーだけではない。わかりやすい差別者は論外として、世界中のあらゆる差別に、この問題は内包されている。

本当の問題は自分の中に差別意識があるかないかではない。それは論外として、自分の言動が誰かを傷つけることに対して不感症であることが問題なのだ。差別の構造を追認するかのような言葉を無自覚に洩らしてしまう。その因子は身体の内側のどこかに付着している。こびりついている。きっと自分の中にもある。何かの折に口走る。なかなか拭えない。

南京の父親は十代のころ、戦時中の満州にいた。馬賊になるつもりだったと真顔で言う。今はネットでパヨクなどと嘲笑される南京から見ても、父親は相当にリベラルな男だった。満州時代は居住していた家のそばに朝鮮人や中国人が粗末な小屋で住んでいたが、多くの日本人は彼らを事あるごとにいじめたり差別したりしていて、それが子ども心に不思議だったとよく言っていた。まだ十代後半だったから、朝鮮人や中国人からはとても可愛がってもらったと懐かしそうにつぶやいていた。戦争時代の体験を語ることについては決して積極的ではないが、朝鮮や中国の人たちとの思い出になると饒舌《じょうぜつ》になった。

敗戦後に引き揚げ船で帰国した父親は組合活動に従事して、レッドパージで職場から追われたこともある。支持政党はずっと社会党。でも酒を飲んで当時の話をしているとき、時おりロスケとかチャンコロなどと口走る。そのたびに母親からたしなめられて、そんなこと言ったか、と自分でびっくりしている。きっと内側に言葉が固着しているのだと思う。差別意識がないことはよくわかる。死ぬ前にもう一度長春に行って近所にいた中国の人たちに会いたいと、退職後は中国語を勉強していた。その思いは本気だった。それなのに幼いころに染みついた言葉はなかなか消し去ることができない。

父親と同様に自分の身体の内側にも、昭和の偏ったジェンダー意識の残滓《ざんし》が染みついているはずだ。時おりそれが言葉となって洩れてしまう。人の行動様式は、環境によって形成される領域が大きい。それを甘く考えたくない。

対談に二の足を踏んでしまう理由は、自らの無自覚に偏ったジェンダー意識が洩れてしまうことへの恐れだけではない。今さらだけど、そもそも対談や対話が苦手なのだ。

南京にとって最初の映画である『A』は、一九九八年の山形国際ドキュメンタリー映画祭でプレミアム上映された。それまでの肩書はテレビ・ディレクターだったけれど、この日からそこに映画監督が加わった。

でも山形市内に着いてビジネスホテルにチェックインしてからプロデューサーの安岡卓治に、明日の上映後は観客とのQ&Aがあるから想定問答をやっておこう、といきなり言われ、そんなの聞いていない、と南京は反発した。

「聞いていないっておまえさあ、上映後の監督が観客とのQ&Aに答えるのは、ベルリンでもカンヌでも香港でも、世界の映画祭の常識だ」

「無理だよ、しゃべれない」

「だから練習しよう」

「しゃべるために映画を撮ったわけじゃない。話すことなんかない」

「わがまま言うな」

南京は黙り込んだ。無理だよしゃべれない、と思わず安岡には言ったけれど、正確には「しゃべれない」ではなく「しゃべりたくない」なのだ。上映したばかりの映画について、作った本人が言葉で補足することに、微妙だけど強い違和感を抱いていた。安岡から手渡された想定質問のペーパーを読みながら、「①のこの映画のテーマを教えてくださいとの質問だけど、何て答えればいいんだ」と南京はふてくされながら言った。

「それは監督のおまえが考えろ」

「答えたくない。だって映画を観た直後にテーマを教えろと監督に質問するその生理と感覚がまったく理解できない」

「世の中にはいろんな人がいる」

「答えたくないです、と答えるけれどいいか」

「だめだ。いいか、明日はプレミアム上映だ。少し大げさに言えば、この評判で今後の映画の運命が左右される。特にこの映画は、それでなくても反社会的な映画だと見なされる可能性が高い。できるだけ誠実に答えろ」

南京はもう一度黙り込んだ。以下は安岡が作成した想定質問だ。

①この映画のテーマを教えてください。
②あなたはオウムが犯した犯罪をどう規定するのか？
③オウムを擁護していると批判されることは自明なのに、なぜこんな作品を撮ったのか？

④不当逮捕の映像を弁護士に提出した理由は？
⑤被害者や遺族がこの映画を観たときにどんな感じを抱くと思うか？
⑥もし自分の身内がサリン事件の被害者なら、あなたはこの映画を作れたと思うか？
⑦この映画の制作予算はどのように工面しましたか。オウムから資金供与は受けましたか？

「⑦については安さんが答えてくれ」と南京は言った。

紙面に視線を送ってから、「人を馬鹿にしたような質問だ。資金供与なんかいっさいない」と安岡が怒ったように言った。自分で質問を想定しておきながら何で怒ってるんだよと思いながら、「①と②と③の答えは映画に描かれている」と南京は言った。「それを言葉で説明したくない、というかできない」

少し間を置いてから、「確かにそうだな」と安岡は言った。自分が書いた質問をあらためて読み直して、確かにこんな質問には答えられない、と思ったのだろう。

一八二四年五月七日。ウィーンのケルントナー・トーア劇場で、ベートーヴェンの「交響曲第九番」が初めて演奏された。第四楽章が終わった直後、観客からは熱狂的な拍手が沸き上がった。でも（タクトを振る指揮者のすぐ傍らにいた）ベートーヴェンは、耳がほぼ聴こえないので気づかない。アルトのカロリーネ・ウンガーに手をとられたベートーヴェンは、客席を向いて驚愕した（卒倒しかけたとの資料もある）。

想像してほしい。この後に客席とのQ＆Aなどありうるだろうか。「この壮大な交響曲のテーマは何ですか」とか「第四楽章に合唱を入れた理由を教えてください」などと質問されて、答えるベートーヴェンをあなたは想像できるだろうか。

あるいは畢竟の大作「ゲルニカ」を描き終えた直後のピカソが、これを展示したアトリエで入場客たちとのシンポジウムに応じるだろうか。ここに黄色を使った理由はだね、とか、この馬の表情があらわすメタファーは、などと説明するだろうか。

……よりによってベートーヴェンとピカソを例に挙げてしまった。さすがにこれは気恥ずかしい。でも表現に携わる一人としての意識ならば、歴史的な偉人もチンピラ映画監督も変わらないはずだ。作品がすべてだ。付け足すことなど何もない。どう解釈されるかは、観たり聴いたり読んだりする人の自由だ。言葉で補足など絶対にしたくない。いずれにせよニーチェの言葉を借りれば、人はそれぞれ自分の欲求と遠近法でそれぞれの解釈をするのだから、音楽でも絵画でも映画でも、発表後に言葉で補足する必要はないし、そもそもすべきではないと思っている。

翌日に『A』が山形市中央公民館でプレミアム上映される予定だったこの日の夜、安岡との打ち合わせを終えて部屋に戻ってから、南京は発熱する。夜中には三九度近くまで上がり、フロントに電話して持ってきてもらった解熱剤を必死に飲んだ。翌朝にホテルのロビーで会った安岡は、一晩でやつれた南京の顔を見てさすがにあきれ顔で、それほど登壇したくないのか、と言った。

仮病じゃない。

わかっている。身体が拒否しているんだろう。とにかく上映は夜だ。それまで部屋で休んでいろ。

一日をホテルの部屋で寝て過ごし、熱は三七度台にまで下がり、安岡にエスコートされながら映画祭のメイン会場である山形市中央公民館に向かった。上映が終わり、二人はステージに上がる。司会者が会場に質問を促す。何人かが手を挙げる。でも安岡が危惧していたような質問はほぼなかった。

最後にマイクを手にした年配男性が、「観る前は洗脳されるかも、と本気で怖かったです」といきなり言って場内は沸いた。「でも今は言えます。本当に観てよかった。監督にお礼を言いたい」

嬉しかった。そして気がついた。華やかな女優やアイドルなどはまず来ない山形国際ドキュメンタリー映画祭の観客は、その多くがリピーターだ。ドキュメンタリー映画を観ることだけではなく、上映後の制作者たちとの対話にも馴れているのだ。だから「この映画のテーマは何ですか」などと悶絶するような質問は絶対にしない。

最後に思いを込めて南京は客席にお辞儀をした。でもネットなどでは、このときの南京は仏頂面でふてぶてしい対応を客に示していて決して好感情は持てなかった、というようなレビューがいくつかアップされていた。違うよと南京は心で叫ぶ。仏頂面は生まれつきだし、まだ熱もあったからぼんやりしていただけなのだ。

……何だっけ。南京はパソコンのキーボードを叩く手を止める。盛大に話が横に逸れている。町山との新型コロナをテーマにした対談だ。とにかくしゃべることが苦手なので今まで毎回苦労してきたが、この日の町山はアメリカの新型コロナ状況について間断なくしゃべり続けてくれたので、その意味ではとても楽だった。

逸れた筆がこれほどに進んでしまった理由は、新型コロナの時代が始まってから二年が過ぎて、これまで自分が過ごしてきた時間について内省することが多くなったからだろう。

言い換えれば過去に浸りやすくなった。未来と現在と過去の時制が何となく混然としてきた。これはまずい。若年性アルツハイマーになってしまう。

いずれにせよオミクロン株が現れた今、新型コロナをめぐる状況は大きく動きかけている。この書籍が店頭に並ぶころには状況はもっと明確になっているはずなのに、現段階で予想や観測など安易に書くべきではない。いや書くべきではない、のではなく、書く意味がないのだ。

でも定点観測とはそういうものかもしれない。今となっては意味がないけれど、かつては意味があった。普通なら意味がなかったことは淘汰されるが、同じ視点で定期的に観測をくりかえすことで、点ではなく時間軸が現れる。それはこの企画の狙いだった。右往左往を書く。煩悶を残す。七転八倒を記録する。

……ここまでは長いプロローグだ。本論はここから。

新型コロナによって、これまで不可視だった領域が露わになった。時おりこのフレーズを実感する。ただしこの場合の不可視だった領域は、遮蔽物があったとか闇に閉ざされていたとかでは決してない。見る気になれば見ることができたはずだ。

つまり、多くの人が目をそむけてきた領域だ。なぜ目をそむけてきたのか。いろいろ不都合だからだ。見ないことにしておいたほうが都合がいいからだ。でも新型コロナはそれを許さない。目の前に突きつけてくる。こうして新型コロナ前ならば起きなかったと思われる事態が起きる。

コロナ禍で第九九代総理大臣に就任した菅義偉は、ほぼ一年で辞意を表明した。辞めたのではない。辞めさせられた。その背景に自民党内での勢力争いや力学が働いたことは確かだが、最大の理由は国民から見放されたからだ。もしもコロナ禍でないならば、鉄壁の官房長官などと呼ばれた時代が示すように、ボロは出さずに済んだかもしれない。

年末に放送されたNHKスペシャル「検証　コロナ予算77兆円」によれば、二〇二〇年度における新型コロナ対策として三度組まれた補正予算の総額は、タイトルが示すように七七兆円。国民ひとり当たりはおよそ六一万円になる計算だ。東日本大震災の復興予算が一〇年強の総額で約三二兆円だから、新型コロナ予算は異次元の規模といえる。補正予算の内訳は、ワクチン接種、国のマスク配布（要するにアベノマスク）、Go Toイート。感染症の拡大防止から経済対策まで多岐にわたっているが、新型コロナで苦境に陥った中小企業を支援する五二の事業のための予算二六兆円は、予算全体の中では最大規模だ。ところが中小企業だけではなく、リクルートや電通など大企業にも「事業委託費」として、この予算の一部が使われている。

さらに、国が中小企業に給付金などを配るにあたり、どの企業が給付対象になるかの審査や、振り込み業務、政策を広く周知するための広報活動など事務委託費の総額は、確認できただけで五〇〇〇億円を超える。諸雑費なのにこの金額。その内訳の多くが、電通とその関連会社に流れている。

まだある。政府は中小企業救済として持続化給付金事業に四兆二〇〇〇億円の予算を計上したが、会計検査院の指摘によれば、電通への再委託や多重下請けなどによって、ここから数百億円が消えている。

数百億円。仮に三〇〇億円とするならば、ゼロの数はこれ。三〇〇〇〇〇〇〇〇〇〇。これだけの金額が消えた。ドブに捨てたとか無駄遣いしたとかではない。消えた。意味がわからない。でもNHKスペシャルのナレーションでも、この述語を使っていた。

キーワードは自民党と電通。

この国の戦後を端的に示す二つのアイコン。そういえば民主党が政権の座に就いていた十数年前（安倍晋三のフレーズを使えば「悪夢の民主党政権」時代）、民主党の議員から、「自分たちの代理店は博報堂なんだよ」と聞いたことがある。

「自民党はずっと電通。だからこの国の自民党と他の政党との闘いは、電博の闘いと言い換えることもできる。ならば結論は明らかだ。電通に博報堂が勝てるはずがない。今は民主党政権だけど、おそらくすぐにまた自民党の天下になるよ」

もちろん現実には、電通にも博報堂にも子会社はたくさんあるし、一業種一社の原則も日本では決して厳格ではない。単純な構図ではないのだろうと南京は思う。でも結果として自民党は与党に返り咲いて、その直前に政権を投げ出したはずの安倍晋三は（結果としてはまた投げ出すわけだが）、その後に歴代最長の政権を維持している。

そもそも電通は広告代理店のはずなのに、ほぼ商社化している。あるいはブローカー。なんで中小企業支援の給付金の元受けになるのかわからない。

もちろん自民党と電通は、過去においても現在においても決して不可視の存在ではない。でも新型コロナによって、これまで見えなかった何かが露わになった。その何かを言語化することは、この作品のテーマは何かと質問された映画監督のように難しい。でもあえて言葉にしよう。

それはこの国の戦後の統治体系だ。つまり国体。戦後も護持された国体の本質は、（自民党と電通のように）天皇制と時の将軍などによる統治の二重構造だった。明治期には将軍はいないが、天皇がほぼ発言しない御前会議が示すように、あるいは二〇二一年に遺族が東京大学に委託して閲覧が可能になった（戦前・戦中に昭和天皇の侍従長を務めた）百武三郎の日記などからも推察できるように、肥大する軍部や追従する政治の空気に対して、統治権の総攬者だったはずの昭和天皇は、思うことをほとんど言えなかった。

つまり一〇〇〇年以上も続くこの国の統治体系（国体）は、今も変わっていないということになる。その意味では確かに不思議な国だ。オリンピックが終わった二〇二一年後半に新型コロナ感染状況が、世界の趨勢とまったく反するように急激に減少した。オリンピック開催中には激増していたのに。減少した理由は今も明確ではない。昔ならば神風が吹いたなどと真顔で言う人がいるのだろうか。

昭和天皇について補足すれば、本当に戦争に反対だったのなら、御前会議で言うべきだったと南京は思う。言う気になれば言えたのだ。でも結果として看過した。時にはイケイケの発言もしている。決して免罪はできない。天皇は平和を望んでいた（だからアメリカは天皇を戦犯に指定しなかった）などの史観は、相当にナイーブすぎると思うのだ。

ギネスブックは日本の皇室について、「世界最古の王朝」と記述している。世界最古の王朝を現在も保持しながら、ドイツ、イタリアと並んでファシズム国家として最後まで降伏しないまま世界で唯一核兵器の被害を（二度も）受けた国であり、その後にGNP世界第二位の経済大国へと復興して、その副反応で発生した水俣病は公式に認定された世界初の公害であり、いつのまにか世界三位の数の原発を保有していて、国が亡びるかもしれないと思うほどに大きな事故に遭遇した国でもある。

懲りない。同じことを反復している。学習能力が希薄すぎる。維新や戦争や災害でも、この国の身体の内側に付着した国体は、昭和の男のジェンダー用語のように変わらなかった。喉もとを過ぎるときは熱いとか痛いなどと大騒ぎするが、過ぎてしばらくすれば見事に忘れる。おそらくこれから、中国や北朝鮮の脅威を理由に日本の軍備はまた拡張されるだろう。それはアメリカの意向でもある。原発についても同様。脱炭素を大義にしながら再生可能エネルギーについての試行錯誤は都合よく忘れ、原発再稼働がまた始まる。原則四〇年の運転期間も延長されるだろう。踊りながら手痛く転んだ。しばらくは膝を抱えてうずくまる。でも笛が鳴り始めたらまた踊り出す。そのくりかえしだ。新型コロナではどうか。まだわからない。だって渦中だ。でもおそらく変わらないだろう。同じ失敗をくりかえす。

南京は家を出る。往来を歩く。マスクを忘れた。あわてて戻る。マスクを装着する。道行く人はみなマスク。新型コロナの時代が始まった二〇二〇年前半は、南京はひそかにマスクに抵抗していた。でも今はもうあきらめた。いや正確にはあきらめとは微妙に違い、これだけ長く続くと、抵抗するエネルギーが消えてしまった。もう見つからない。電通への再委託や多重下請けなどによって消えた数百億円のように。

おそらくこうやって時代は変わるのだろう。ぬるま湯が入れられた鍋の中のカエル。内側は変わらないのに外側だけが変わる。マスクや手洗いのレベルならばたいしたことではない。でももっと大きな何かを忘れたくない。無自覚に馴れたくない。変わるなら意識的でありたい。なし崩しで外側だけを変えたくない。

南京は二〇二二年の夏に映画を撮る。ドキュメンタリーではない。劇映画だ。準備は進んでいるが、肝心の予算がまだまったく集まらない。消えた数百億円の数百分の一だけでも回ってこないだろうか。その程度の価値がある映画を作るつもりなのだけど。

それに何よりも、撮影の時期に新型コロナはどんな状況になっているのか。それも予測できない。映画の背景は大正時代だ。つまり時代劇。しかも群集劇でもある。もしも撮影中にスタッフかキャストの一人でも新型コロナに感染にしていることが明らかになったなら、その後も撮影を続けることは難しい。制作予算は絶対にぎりぎりだから、延期は中止を意味する。喉もと過ぎても戻れない。

新型コロナ感染や発症は絶対に阻止しなければならない。でもスタッフとキャストにエキストラも合わせたら、撮影時の動員規模は延べ数百人で撮影期間は一カ月強。撮影地は京都の予定だから、スタッフとキャストでほぼ合宿生活だ。そんな状況で新型コロナ感染が一人も出ないことなどありえない。

ありえないと思っているのに足は止まらない。だって来年撮らなければ、この作品はもう二度と撮れない。予算の大半は多くの人からの応援であるクラウドファンディングだ。撮れなければ返金しなくてはいけないのだろうか。それは困る。もう六〇歳を過ぎた。路頭に迷う老後になる。

アメリカに敗けることを知りながら奇襲攻撃の準備を進めた大日本帝国の軍部のように。崖から落ちらかもしれないと思いながら泥の坂道をずるずると滑り落ちた梶井基次郎のように、脚本の推敲やオーディションの準備などクランクインに向けて、余計なことは考えずに進み続ける。今さら足は止まらない。止められない。

きっと神風は吹く。南京は自分に言い聞かせる。幼いころから現在に至るまでペシミストでネガティブ思考だけど、ならばこれまでのポジティブ貯金があるはずだ。そのすべてを使い果たしてもかまわない。この映画は絶対に撮る。世に出す。新型コロナは終わる。きっと終わる。

（二〇二二年一月）

V

剣呑

安倍元首相の銃撃とコロナ感染の第七波

気がつけば新型コロナ関連のニュースを観たり記事を読んだりする時間が、圧倒的に少なくなった。自分の関心が向かなくなったのではない。ニュースや記事の絶対量が、以前に比べれば減ったのだ。新型コロナだけではない。ロシアによるウクライナ侵攻のニュースも、侵攻直後の数カ月に比べれば、報道の最前線からはずいぶん後退している。

コロナとウクライナに限ったことではない。つい数年前まで香港情勢は、連日のようにニュースのトップに位置していた。その後にミャンマーで起きた軍による暴力的なクーデターのニュースも、毎日大きく報道されていた。でもいつのまにか、香港情勢もミャンマー報道もほぼ消えた。ところが事態は解決していない。ずっと現在進行形だ。むしろより深刻化している。

毎日のようにテレビで顔を見ていた香港の周庭（アグネス・チョウ）さんは、逮捕されて出所したことまでは報道されたけれど、今はどうしているのだろう。ミャンマーの市民たちの抵抗は、今はどんな局面を迎えているのだろう。

メディア報道と負の歴史

……と愚痴のように書き始めたけれど、ある意味で仕方がないとも思っている。人の興味や関心は移り気だ。そしてテレビや新聞などマスメディアは市場原理で動く。つまり社会の興味や関心が反映される。さらに大量の情報が消費される時代になったからこそ、情報の賞味期限は急激に短くなっている。

かつて報道や情報系の番組のディレクターを務めていたころ、放送翌日にはスタッフルームの壁に、前日の視聴率が折れ線グラフとなって大きく貼り出されていた。業界用語で「毎分」だ。一分ごとの視聴率がこれでわかる。

だから視聴者がどの話題に関心を示し、そしてどの話題に飽き始めているのか、とても明確に判断できる。視聴率が振るわない話題からは早々と撤退し、前日に高い視聴率をとった話題なら、まだしばらくは続く。視聴者から対価をとらずにスポンサー料だけでまかなう民放地上波のテレビにとって、売り上げに直結する視聴率は何よりも重要だ。

それにそもそも、ニュースの定義のひとつは、「社会が関心を示すこと」だ。これは多くの人が知るべき重要なニュースだとディレクターや記者が思ったとしても、多くの人がその話題に関心を示さないのなら、オンエアや紙面のプライオリティから淘汰される。つまり社会がニュースを決める。そのメカニズムは決して間違いではない。

事件や事故は日々起きている。昨日のニュースよりも今日のニュースのほうに社会が強い関心を示すことも当然だ。だからもう一度書く。報道の内容が変わることは、ある意味で仕方がない。でも「ある意味で」だ。それが良いとは決して思っていない。

なぜならメディアには、市場原理だけではなくジャーナリズムの原理もあるはずだ。香港もミャンマーも、あるいはシリアやアフガニスタンも、さらにはパレスチナもロヒンギャも、問題はずっと続いている。何も解決されていない。最初の衝撃が過ぎた今こそ、今後の展開を考えるうえで大切な時期のはずなのに、ほぼ世界の関心からは取り残されている。

現状（二〇二二年七月）においてウクライナの公式発表では民間人死亡者数は七〇〇〇人弱で、ロシアの公式発表では兵士の死者数は一万人以下だ。二〇二二年一一月にアメリカ統合参謀本部議長は、両軍合わせて二〇万人の死傷者が出ていると発表した。これらの数字がどこまで正確かはわからない。でも多くの人が無慈悲に殺し、殺されていることは確かだ。絶望の声をあげている。ならば報道する。それは当たり前のこと。

それを大前提に置きながら視点を変える。二〇一五年に始まって今も続いているイエメン内戦では、すでに四〇万人近い命が犠牲になっている。空爆など戦闘関連の死者は四割で、六割は飢えやコレラなどの感染症が原因という。いずれにせよ四〇万人。とてつもない犠牲者数だ。ところがこれを知る日本人はとても少ない。理由は単純。ほぼ報道されないからだ。

もちろんゼロではない。以下は「東京新聞」二〇二二年四月一〇日付の配信記事の一部引用だ。

2月下旬、目の前にアラビア海へと続く湾が広がるイエメン南部アデンの海岸沿い。枯れ枝を集めた垣根を越えると、空き地に板やトタンで作ったバラックがひしめいていた。約40家族が身を寄せる国内避難民キャンプの一つだ。

「この暮らしに疲れた。何の助けもない」

戦闘が激化した中部シャブワからアデンへ逃げてきたホルド・カーリドさん（26）はつぶやく。腕に抱かれた息子のミタちゃん（7カ月）は力なく母親に身を委ね、ぼんやりと遠くを見つめていた。

国連の援助物資が届くのは3〜4カ月に1度で、あとは地元の篤志家が菓子や古着を持ってくる程度。レストランの残飯で食いつないでいる。「子どものミルクもない。一体どうすればいいの」

内戦が続くイエメンでは、戦闘で多くの病院が破壊された。わずかに稼働する病院でも医薬品が慢性的に不足。国連によると、全死者の7割が5歳以下と推計され、「9分に1人が死亡している」という。約490万人が栄養失調に陥り、約1560万人が極度の貧困状態にある。イエメン内戦が「世界最悪の人道危機」と呼ばれるゆえんだ。

世界最悪の人道危機なのに、これを知る人はとても少ない。現地では多くの人が助けを求めているのに、呻《うめ》いているのに、泣き叫んでいるのに、世界は気づかない。知らない。あるいは知ったとしても、すぐに忘れてしまう。

メディアは世界の目だ。耳であり声でもある。そのメディアが目をそむけて耳をふさぎ、声もあげないのなら、その事実はなかったことになる。ならば記憶もされない。誰も介入しなくなる。歴史からも消える。

もちろん、人は自らの体験や得た情報のすべてを記憶することなどできない。海馬《かいば》によって分類された記憶は大脳皮質に貯蔵されるが、時とともに薄れる。キャパシティの問題ではない。忘却は人にとって大切な機能なのだ。

もしも忘れることができなければ、失敗や恥辱や絶望の記憶は成功や喜びや希望の記憶を圧倒し、恨みや悲しみや憎しみや悔恨の重みで人は押しつぶされてしまうだろう。

だから人は負の記憶を忘れようとする。目をそむけて心地よい記憶で上書きしようとする。でも失敗や挫折の記憶を保存しないのなら、時おり確認しないのなら、また同じ失敗や挫折をくりかえすことになる。

だから僕たちは記憶のメカニズムに対して、忘却に対して、時には全身全霊で抗わなければいけない。負の歴史を記憶して煩悶し続けることで、人は成長することができるのだ。想像してほしいのだけど、もしも自分にとって都合の悪いことはすべて忘れて成功体験ばかりを記憶する人がいたとしたら、とても傲慢で鼻持ちならない性格になるはずだ。自分本位でレイシスト。世界が称賛する私とか崇高で気高い俺などと本気で思っていて、事あるごとに口走る。そんな人とは友だちになれない。なろうと言われても断る。言葉も交わしたくない。

負の歴史を記憶して考え続けることで人は成長する。同じ過ちをくりかえさなくなる。

社会や国も同じだ。都合の悪い歴史は忘却して、過ちや加害の記憶に自らの正当性や被害の記憶ばかりを上書きするから、何の躊躇《ためら》いもなく「美しい」とか「気高い」とか「誇り高い」などの形容詞を自分自身に使うことができる。「世界から称賛される日本」とか「世界を感動させた日本人」などのフレーズを、何の恥じらいもなく口にすることができる。やっぱり嫌な奴だ。自分たちの加害を記憶しないのならば、また同じことをするかもしれない。周辺の国からそう思われても仕方がない。とても未熟で自己本位で傲慢な社会や国だ。

促進される善悪二分化

無意識領域において負の記憶を忘れようとする傾向が強いからこそ、僕たちはダニエル・キイスの『アルジャーノンに花束を』に登場するチャーリーのように、意識的に力を込めて、忘却や思考の喪失に抗わなければならない（もちろんやってもいない加害や失敗を捏造することは論外だ）。

一九一八年に始まったスペインインフルエンザは、一九二〇年にほぼ収束した。当時はワクチンどころか抗生物質も発見されていない。多くの人が感染した。それなのに三年でほぼ終わった理由は、多くの人が感染したからこそ、ウイルスに対する中和抗体を得ることができたからだ。もちろん、この過程では、多くの人が死んでいる。

いずれにせよ新型コロナも、これから終焉の時代を迎えるはずだ。ならばこの体験をどう記憶するのか。どう語り継ぐのか。そろそろそれを考えるべき時期だ。

しかし今の日本では、負の歴史を思い出そうとする試みを自虐史観などと呼びながら、嘲笑や攻撃する傾向がとても強くなっている。南京虐殺など実は起きていないとか従軍慰安婦など存在しなかったなどの投稿が、ここ数年でネットには増殖している。朝鮮人強制徴用などありえない歴史だし、関東大震災時の朝鮮人虐殺はデマだった（あるいは朝鮮人は日本人を実際に攻撃しようとしていた）などと本気で言う人も増えた。その極めつけは、日本が欧米列強と戦争を起こした理由は、アジアを解放するためだった、との言説だ。

もちろん当時ならば、新聞紙面の見出しに踊る偽りの大義を信じている人は少なからずいた。ブッシュ政権時のアメリカ人の多くは、大量破壊兵器を隠し持つイラクの脅威を除去するために武力侵攻するのだと本気で信じていた。今のロシア人の多くは、ウクライナをネオナチ勢力から解放してＮＡＴＯの脅威から自国を守るためにプーチンは侵攻を決意したのだと、政権のプロパガンダをそのまま信じ込んでいる。

でも少なくとも今の日本で、アジアを解放するためになどの言説を疑いなく信じている人がいるとしたら、それはあまりにも不勉強だ。浅慮であさましくて不誠実だ。以下はAERA dot. からの引用〔引用文中の（ ）内は筆者注〕。

安倍（晋三）氏と田中（眞紀子）氏の因縁は深い。安倍氏の祖父岸信介氏、田中氏の父角栄氏は自民党でそれぞれ大派閥を率い、岸派の流れをくむ福田赳夫氏と角栄氏による70年代の激しい首相の座争いは「角福戦争」と呼ばれた。

二人はそうした自身のルーツを強く意識する。自民党の長期政権が崩れた93年衆院選で初当選。激動する政界でともに将来の首相候補とも言われた。

「歴史認識が違うのよ」。44年生まれの田中氏はそのころ、社会保障の会議の席で、54年生まれの安倍氏とふと交わした「私語」を日記につけている。

田中氏「日本が敗戦して」
安倍氏「真紀子さん、今なんて言った？」
田中氏「敗戦よ」
安倍氏「あれ終戦なんだけど」

田中氏「中国や東南アジアへの侵略戦争でしょ」
安倍氏「違う違う。アジアを解放するために行ったんだ」
（「田中真紀子氏が加計問題に参戦」AERA dot. 二〇一七年六月二〇日）

日記をそのまま引用したのならかなり正確だとは思うが、安倍元首相が実際に「違う違う」と言ったなら、その語気は相当に強い。今さらだけど「アジアを解放するための戦争だった」と本気で思っていることが伺える。

今の日本が国家としても社会としても、負の記憶を忘れる傾向が強くなった要因のひとつは、一九九五年に起きた地下鉄サリン事件だ。圧倒的な悪の質量を目撃した日本は、ちょうど九・一一後のアメリカと同じように、喚起された不安と恐怖を燃料にしながら集団化を加速させた。「私」や「僕」など一人称単数の主語は、「私たち」や「我々」など複数代名詞か組織や国家の名称にスライドし、大きくなった主語に伴う述語は語気が強くなり、さらにこれを発した主語にフィードバックする。

自分たちは正義なのだ。ならば彼らは悪。こうして善悪二分化が進む。特に法やルールや規範にそむいた人は、集団にとっては絶対に許容できない異物であり、これを排除するための厳罰化が進行した。

少年法の厳罰化は二〇〇〇年。近年は少年事件が多発、かつ凶悪化しているとの言説を根拠に（実状はまったく逆で毎年減少している）、刑事罰対象年齢と少年院送致可能年齢が引き下げられた。二〇〇四年には有期懲役刑の上限が現行の二〇年から三〇年に延長され、殺人罪の下限は三年から五年に引き上げられた。殺人など死刑に当たる罪の公訴時効を廃止したのは二〇一〇年。危険運転致死傷罪や自動車運転過失致死傷罪、児童ポルノ禁止法も重罰化され、二〇一七年に安倍政権は国会で、思想信条を侵害する恐れがあるとして野党が猛反発する共謀罪を、テロ等準備罪と名称を言い換えて成立させた。

そして一九九九年から二〇〇三年の五年間で二〇人だった死刑判決は、複数のオウム信者の死刑判決が確定する二〇〇四年から二〇〇八年にかけて、一気に七九人になった。特に二〇〇七年は、高裁・最高裁が被告人に死刑を言い渡した回数は延べ四七回で、記録が残っているこの八〇年間で最も多い。

変化したのは司法だけではない。テレビ局や新聞社などメディアだけではなく大企業の多くが、ＩＤカードを社員に携帯させるようになったのは地下鉄サリン事件以降だ。裁判所のゲートに金属探知機を導入したのも、公園や駅のベンチに（ホームレスなど異物排除のための）仕切り板が当たり前のように入るようになったのも、やはりオウム以降だ。絶対的な悪に対峙していると思うからこそ、自分たちの集団は正義の側にあることが前提になる。

こうして善悪二分化が促進される。気高くて崇高な自分たちが、朝鮮人や中国人を虐殺したり、慰安婦を利用したりするはずがない。大日本帝国の軍隊は、欧米列強の支配から解放するためにアジアに進出したのだ。本気でそう思う人たちが増え始めた。

歴史認識と人の営みに対する錯誤の悪循環

ユダヤ人大量移送の責任者としてナチス最後の戦犯と呼ばれたアドルフ・アイヒマンは、ドイツ敗戦後に名前を変えて潜伏していたアルゼンチンで、イスラエルの対外諜報機関であるモサドに捕獲された。

長くアイヒマンを監視しながら決定的な証拠をつかめなかったモサドの工作員は、尾行中のアイヒマンが仕事帰りに花屋に寄って花束を買ったことで、アイヒマン本人だと確信したという。なぜならその日はアイヒマン夫妻の結婚記念日だったのだ。

拘束されたアイヒマンはイスラエルに護送され、エルサレムの法廷で行われた裁判は、全世界に公開された。法廷にスーツにネクタイ姿のアイヒマンが現れたとき、邪悪で冷血で凶悪な男を想定していた多くの人は唖然とした。分厚いレンズの眼鏡をかけたアイヒマンは、なぜこれほどの悪事を行ったのかと何度も質問されながら、命令に従っただけです、とくりかえすばかりだった。そこにいるのはナチの残忍な将校ではなく、雰囲気としては実直な中間管理職だった。

このとき傍聴席にいたハンナ・アーレントは、被告席のアイヒマンを凝視しながら「凡庸な悪」というフレーズを想起する。邪悪で凶暴で冷血だから悪事をなすのではない。気弱で誠実で組織に忠実だからこそ、人はありえないほどに残虐な振る舞いをしてしまうのだ。その後に発表した『イェルサレムのアイヒマン』でアーレントは、アイヒマンの罪は多くのユダヤ人殺害に加担したことではなく、思考することを停止してナチスのシステムを無批判に受け入れたことなのだと主張した。

アイヒマン裁判の翌年にイエール大学のスタンレー・ミルグラムは、閉鎖的状況で権力的な指示を下された人がどのように振る舞うかを試すアイヒマンテストを行い、一定の条件下では多くの普通の人が強い抵抗を示さずに殺害に加担することを証明した。

つまりアイヒマンは特別な人ではない。我々なのだ。

だからこそ今、南京虐殺や朝鮮人虐殺などの史実について、崇高で高潔な日本人がそんな残虐なことをするはずがないと主張する人たちに言いたい。日本人が崇高で高潔であるかはともかく（仮に本当に崇高で高潔だとしても）、虐殺の因子にそれは関係ない。

ナチス政権時のドイツに邪悪な人たちが多かったはずはない（当たり前だ）。自国民を大量に虐殺したカンボジアのクメール・ルージュが、冷血な人ばかりを選抜してリクルートしていたわけでもない。文革時の中国で、数百万人を虐殺した紅衛兵など若い世代が、特に残虐で凶暴だったわけでもない。

人はある環境設定が満たされたとき、とても残虐で冷血になってしまう生きものだ。ベトナムでソンミ村を焼いて村人たちを殺した米兵たちも、南京を占領して市民たちを虐殺した大日本帝国陸軍の兵士たちも、現在のウクライナで市民たちを無差別に攻撃するロシア兵たちも、みな家に帰れば妻や子どもを愛する夫や父であり、両親に愛される息子であるはずだ。

人は残虐で凶悪だから人を殺すのではない。だからこそ危険なのだ。だからこそ自分たちの過ちを直視しなくてはならない。でも負の歴史を軽視する今の日本には、その知見が絶望的なほどに乏しい。

一九九五年の地下鉄サリン事件によって危機管理意識を激しく刺激された日本社会が集団化を始めてから六年後、アメリカでアルカイダによる同時多発テロが発生し、さらにブッシュ政権によるイラク攻撃によってIS（イスラム国）が誕生して、テロへの恐怖を燃料とした集団化は世界規模で広がった。

日本の場合は二〇一一年の東日本大震災と福島第一原発のメルトダウンによって、さらに不安と恐怖が刺激され、多くの人が口にした「絆」という言葉が象徴的に示すように、集団化は加速した。

集団は強くて対外的に強硬なリーダーを求める。設定された悪に対して寛容な為政者では物足りなくなるのだ。

戦後の日本政治を長く支配してきた自民党は、一九五五年の結成以降、二回だけ下野したことがある。一九九三年と二〇〇九年だ。しかし一九九五年に連立政権を引き継いでいた社会党の村山富市内閣は、サリン事件後に支持率を大幅に落とし、自民党は再び政権与党に返り咲いた。以下に引用する産経新聞のコラム「産経抄」は、このときの国民の気分をとても端的に追想している。

その朝、早起きして初めての海外出張のため成田空港へと向かい、当時所属していた社会部に「今から出発します」と電話をかけたところ、受話器から怒鳴り声が響いた。「地下鉄で人がばたばた倒れているんだよ。何やっているんだ」。平成七年三月二〇日の地下鉄サリン事件である。

戦後五〇年のこの年、首相は社会党出身の村山富市氏が務めていた。村山氏は、事件を起こしたオウム真理教への破壊活動防止法適用に極めて慎重だった。最終的には適用手続きを取ったが、公安審査委員会は適用を見送る。村山氏の消極姿勢も影響したとみられる。

一月一七日には、六千人を超える死者を出した阪神大震災も発生していた。危機管理という発想自体乏しく、自衛隊活用にも抵抗感があった村山氏の動きはひたすら鈍重で、国会で初動対応の遅れを問われるとこう答えた。「なにぶん初めてのことで…」。

それでいて、イデオロギーに絡む問題では強引で強権的だった。アジア諸国に、痛切な反省と心からのお詫びの気持ちを表明した「村山談話」は、閣僚にも事前に知らせずに八月一五日の閣議でいきなり決定した。「この程度のものを出し切らなければ、総理をやった意味がない」。著書でこう述べている。

未解決のまま時効を迎えた警察庁長官銃撃事件が起きたのも、この年三月である。オウム真理教の元教祖、麻原彰晃死刑囚ら七人の死刑が六日執行されたことで、当時の浮足立ち、不安感に包まれた世相がありありとよみがえった。

二三年前の一連の出来事と、稚拙な政府対応からくみ取れる教訓とは何か。その後のいくつかの政権についてもそうだが、国民も国会議員も、安易に国のリーダーを選ぶと大変な目に遭うということは言える。

（「産経新聞」二〇一八年七月七日付）

二回目の下野の時期である二〇一一年にも東日本大震災と福島第一原発爆発事故が起きて、不安と恐怖を刺激された日本社会は強いリーダーを求め、安倍晋三を首班とした自民党は、翌年に公明党と連立して政権与党の座を取り戻した。

その後の自民党、つまり安倍政権は、中国や北朝鮮など仮想敵国の危険性を一貫して煽り、韓国とは戦後最も険悪な関係になりながら、かつての誇り高き日本への回帰を声高に訴える。つまり「Make Japan Great Again」だ。誇り高き神の国。アジアの一等国。だからこそあの戦争はアジアの解放が大義でなければならないし、南京虐殺や朝鮮人虐殺は左翼が流布する自虐史観なのだ。

この時代は長く続く。第二次以降の安倍政権は七年半と歴代最長の連続在職日数を誇り、同一の首班の下で一一回の組閣も、日本の憲政史において最多記録だ。

この間に彼は何をしたのか。外交・安全保障の司令塔となる「国家安全保障会議（NSC）」を発足させて「特定秘密保護法」を成立させ、中央省庁の幹部人事を一元管理する「内閣人事局」を創設し、憲法解釈を変更して他国への攻撃に自衛隊が反撃する集団的自衛権の行使を可能とする「安全保障関連法」や、犯罪を計画段階から処罰する「共謀罪」の趣旨を盛り込んだ「改正組織的犯罪処罰法」を成立させ、自身の健康状態を理由に辞任する五カ月前には、コロナ対策として全世帯へのアベノマスク配布を表明した。

そして、安倍元首相が銃弾に倒れた

……ここまでを書いたところで、安倍元首相が奈良で演説中に散弾銃で撃たれて心肺停止状態になったとの速報が、ノートパソコンを置いたテーブル横の壁に設置された小さなテレビ画面で流れた。まさしく「アベノマスク配布を表明した」と書いてENTERを押すと同じタイミングだった。僕はしばらく茫然。自失。啞然。いや僕だけではなく、この瞬間に速報を目にした人ならば、誰だって啞然とするはずだ。

それから一五分が過ぎた。テレビが伝える情報は「ドクターヘリで病院に搬送」と「心肺停止」、まだ容体はわからない。とりあえず原稿に戻る。

……戻ると書いてから、およそ四時間が過ぎた。今は一五時五〇分。ずっと原稿に戻れなかった。このシリーズのファイナル（その後、第六弾も刊行することになる）として今回は、新型コロナを僕たちはどのように記憶すべきかについて書くつもりだったのだけど、そのトーンに戻れない。テレビとネットから目を離せない。心肺停止との情報は変わらない。犯人については現状において、元海上自衛隊員だったということは確からしい。でも動機も含めて、それ以外の情報はまだほとんどわからない。

この間に共同通信社会部の佐藤大介記者から電話がきた。彼とは長い付き合いだ。コメントは可能でしょうか、と佐藤は言った。まだ何もわからない、と僕は答え、それはこちらも同じです、と佐藤は言った。まだ何もわからないこの状況で、もしも言えることがあるならば、と思って電話しました。

なるほど、と僕は思う。佐藤の依頼は、言ってみればこの書籍の趣旨と同じだ。つまり定点観測。時間の経過とともに視点はどう変わるのか。メディアの報道はどう変わるのか

（一報で伝えられた凶器は散弾銃との情報は、いつのまにか消えている）。

それから一時間後にもらった電話で僕は、今思うことを伝えた。佐藤はそれを活字にした。明日の朝にはいくつかの地方紙に掲載されるはずだ。以下に彼から（確認用に）送られてきたコメントをペーストする。多少優等生のような言い回しがあるが、佐藤が新聞コメントとして僕の言葉をアレンジしてくれたのだ。

◎ネットの暴力がリアルに　社会の集団化と二元化進む　映画監督　森達也

自民党の安倍晋三元首相が街頭演説中に銃撃されたというニュースに接し、ぼうぜんとした気持ちになっている。現段階では容疑者の動機など、具体的なことはわかっていない。デマが流布される可能性もあることから、メディアは先走らず、冷静な報道に努めるべきだろう。

「テロ」とは政治的な背景を持った者が、暴力で社会を畏怖させて自らの願望を達成させる行為だ。オウム真理教による一連の事件は、その政治的背景が解明されないまま幕引きされてしまった。その一方で、オウム事件以降、社会で「自分たちに脅威が向けられている」という意識が醸成され、集団化が進み、善悪二元化がむき出しの空気がまん延した。

米国も二〇〇一年の九・一一テロ後、自分たちは被害者でイスラムは悪という図式を作り上げた。その後、インターネットの普及に伴って交流サイト（SNS）が人々に浸透し、罵詈雑言が飛び交うようになった。SNSが、社会の集団化と二元化を深めたのだ。

それでも日本では、ネット上で「死ね」と書き込む世界は、リアルな暴力とは隔たりがあった。今回の銃撃は、SNSの暴力と直接的な暴力の境目がなくなったことの現れとも言える。

銃撃によってセキュリティへの意識が高まると同時に、一般の人々の不安と恐怖心はより刺激されるだろう。日本社会が大きく変わると言うよりも、オウム事件以降に進んだ善悪の二元化がより深まることになるのではないだろうか。

日本での要人暗殺では、陸軍将校らによる一九三六年の「二・二六事件」や、海軍将校らが犬養毅首相を射殺した三二年の「五・一五事件」があるが、これらは軍部の反乱だ。そうした意味では、今回の銃撃は六〇年に社会党委員長の浅沼稲次郎氏が右翼の少年に刺殺された事件を連想させる。

ただ、現段階では推測の域を出ないが、今回は右翼といった伝統的な政治信条よりも、一般の人がネットの中で自分の思想信条を純粋培養し、先鋭化させていったという可能性が考えられるのではないか。

政治信条が合わない人は消してしまえばいいという考えは、本当に恐ろしい。今回の銃撃が、そうした社会に向かうことの発火点になるのではと懸念している。

いったんはOKしたけれど、しばらく時間を置いてから、オウムについての記述は余計だったかもと考えた。銃撃されたとの情報を初めて知ったときに書いていた原稿（つまりこの文章の前段）の影響を受けていることは明らかだ。今夜出稿らしいから、締め切りはもうぎりぎりだ。でもとにかく電話してオウムについての記述を削除したいと伝えたら、「僕はママでいいと思いますが」と佐藤は言った。「それに全体の文脈も変えなければいけなくなります」。

確かにそうだ。オウムによって危機意識が刺激されて集団化や善悪二元化が加速した、との後段につながらなくなる。綿密に推敲する時間はもうない。僕は佐藤に同意した。ならばママでいいです。翌朝この記事は、複数の地方紙に掲載された

モザイクの矛盾

佐藤とのやりとりを終えた一七時四〇分ごろ、NHKは自民党幹部からの情報として、安倍元首相が死亡したと速報した。心肺停止と速報してから五時間。異常に長い。しばらくニュースを見てから他局にチャンネルを変える。でも民放各局は死亡したとは報じていない。NHKの誤報だろうか。でもさすがにこれで誤報はないか。そう思いながらテレビのリモコンを手離せない。タイムラグは数分ほど。やがて他局も死亡したことを報じ始めた。僕はテレビ画面を見つめ続ける。何も考えられない。思考の足場がない。

その後にテレビ各局は、安倍元首相が救急搬送された奈良県立医科大附属病院の記者会見のライブ放送一色になったが、仕切りがばたばたで延々と会見場の空《から》舞台が続く。死因は失血死とのこと。

ふと気づけば、スタジオに着席するNHKのアナウンサーたちは、黒いスーツとネクタイ姿に変わっている。これには唖然とした。元総理ではあるけれど、今は自民党の一議員だ。ここまでするか。まるで国葬への布石だ。

もちろん、（何度でも書くが）報道のプライオリティは社会の関心の度合いが反映される。そこにテレビの市場原理が重なる。でもジャーナリズムならば一線も必要。その一線が見事に消えている。四一歳の容疑者は、「安倍元総理大臣に対して不満があり、殺そうと思って狙った」という趣旨の供述をしている一方で、「元総理の政治信条への恨みではない」とも供述している、とメディアは伝えている。

政治信条が合わない人は消してしまえばいいという考えは、本当に恐ろしい。今回の銃撃が、そうした社会に向かうことの発火点になるのではと懸念している。

共同通信へのコメントの最後に、僕はこう述べている。しまった。早とちりだったかもしれない。でももう締め切りの時間は過ぎている。配信が始まっているはずだ。仕方がない。あの時点ではそう思ったのだ。

不満があって殺意を持ったが、政治信条への恨みではない。……どうもよくわからない。政治信条への恨み（この文脈で恨みという言葉を使うことに違和感はあるが）でないのなら、どんな不満があったのだろう。個人的な恨みなのか。二人にどんな接点があったのだろう。

二一時半ごろに奈良県警が会見を行った。各局の画面下には「特定の宗教団体への恨み」との文字が躍る。記者会見で捜査一課長は、「被疑者は特定の団体を恨んでおり、安倍元総理がその団体に関係していると思い込んでいた、と供述している」と明らかにした。

特定の宗教団体とは何か。警察は固有名詞をまだ明かしていないのか。あるいはメディアが伏せているのか。でもこの情報に接したとき、多くのメディア関係者は、旧統一教会の名前を想起したはずだ。僕は思いついた。他には思いつけない。安倍首相が式典に祝電を送ったなどの情報は以前から何度か見聞きしていた。メディアの片端にいる僕ですらそう思う。

ところがなぜかこのあたりからテレビは一斉に、安倍元首相の生前の業績を伝え始めた。高市早苗政調会長は、「国のことを考えた偉大な政治家である安倍元総理の遺志を受け継ぐ」と表明し、憲法改正が安倍元総理の夢でした、とアナウンスしたテレビ局もあった。観ながら思う。今それを言うか。選挙直前なのに。

安倍元総理銃撃の瞬間の映像は何度も放送された。しかし隣に立っていた候補者には必ずモザイク。メディア関係者は言う。モザイクの理由は公職選挙法と放送法に抵触する可能性があるから。報道の中立性が損なわれるから。

ならば訊く。投票を二日後に控えたこの時点で、スタジオのMCたち全員が黒服を着用することについて、「偉大な政治家」「憲法改正が夢」などのフレーズをアナウンスすることについて（弔い合戦のつもりで投票に行きましょうとアナウンサーが呼びかけた番組もあった）、テレビ関係者はどのように考えているのだろう。公正さは担保していると本気で思っているのだろうか。

容疑者の動機はまだわからない。でもこれから自民党守旧派とこれを支持する保守の人たちが、この死を政治利用することは明らかだ。その意図がなくてもそうなる。翼賛体制はさらに強化される。

見逃しただけかもしれないけれど、新型コロナのニュースはまったく流れない。この数日で感染者数は八〇〇〇〇人を超えていたはずだ。つまり第七波が始まりつつある。この原稿の冒頭で僕は「そろそろ終焉しかけているかもしれない」と書いたのに、たった数日でコロナの局面が大きく変わりつつある。でも今のメディアはそれどころではない。今の社会もそれどころではない。確かに感染者はまた増加しているけれど、今の変異株は重篤な状態になる人は少ないらしい。

データによれば、安倍元首相が銃撃された七月八日に確認された感染者数は東京都内で八七七七人。確かに増えている。でも死者は少ない。だから（僕も含めた）多くの人は思う。これならば風邪やインフルエンザと大きくは変わらない。というか今は新型コロナどころじゃない。

明けて今日は七月九日。平日ではなく土曜の編成ということもあるのだろうが、テレビは通常放送に戻っているとの印象。短いニュースで気になったこと。昨夜は容疑者の動機について「特定の宗教団体への恨み」とアナウンスしていたが、今日は「特定の団体」に変わっている。なぜわざわざピントをぼかすのか。銃撃されたときに安倍元首相の隣にいた候補者にモザイクをかけるように、メディアは名誉棄損などを理由に、この宗教団体の名前も隠すのだろうか。それとも警察が具体的な発表を抑えているのか。でもならば、昨日は宗教団体と言いましたよね、と問うべきではないだろうか。容疑者は特定できているのだから、警察発表に頼らずとも、彼がどのような宗教団体とかかわりがあったのかくらいは調べられるはずだ。

そもそもこの国の報道は実名報道主義ではなかったのか。市井の人ならば容疑者の段階でも、名前や顔をさらされる。無罪推定原則など気にしない。実際に銃撃事件の容疑者の名前や顔は当たり前のように報道されている。

ところが候補者の顔やたすきにはモザイク。そして元首相殺害という重大事件の動機にかかわる要素も匿名。あからさまな矛盾だ。でも口にしない。安倍元首相と特定の宗教団体とのかかわりだって、多くのメディア関係者は知っていたはずだ。僕だって察しはつく。でも誰も言わない。

現在は七月九日一〇時四九分。NHKも含めてテレビは各局とも、情報系バラエティやグルメなど通常運転。安倍元首相死亡のニュースはあっというまに後景化されている。もちろん新型コロナも。でも後遺症は残る。新型コロナ予備費は総額で一四兆円。まさしく異次元的な数字だ。日本経済新聞によれば、そのうち九割は使途不明。ありえない。血税だ。これは今後の課題。一円でも使い道は明確にすべきだ。そのためにはメディアが、もっともっと健全に機能しなければならない。

ここで唐突にこの原稿は終わる。でももちろん、コロナ禍はこれからも終わらない。感染者数は日々増えている。しかもこれまではありえなかった数字だ。七月八日のコロナ感染者数は全国で五万九五人。これをどのように記憶するのか。安倍元首相暗殺はどのような歴史になるのか。その作業はこれから始まる。

（二〇二二年七月）

道に迷い、行きつ戻りつ、前に進む

この原稿を書き始めようとしている今日の日付は二〇二二年一二月二七日。新型コロナ感染による死者数が、過去最多の四三八人を記録した日でもある。これまでの最多は、四日前の一二月二三日に記録された三七一人。

今は第八波。第七波のピークだった九月二日の死者数は三四七人だから、圧倒的に増えている。念のためにもう一度書くけれど、新型コロナによる一二月二七日の死者数は、国内過去最多の四三八人だ。この日の全国の新規感染者数は二〇万八二三五人。これも一週間前と比べて、一万八〇〇〇人余り増えている。

つまり新型コロナの猛威はまったく衰えていない。衰えているどころか勢力をさらに増している。でも一二月、政府は新型コロナの位置づけを、現在の二類からインフルエンザと同等である五類に緩和する方針であることを発表した。飲食店や劇場の客足はほぼ新型コロナ前に戻り、オンラインのミーティングやシンポジウムも急激に減った。僕も帰宅したとき、少し前まではジャケットは洗濯槽に放り込んで、手洗いや消毒はもちろん、欠かさずうがいも行っていたが、今は手洗いぐらいだ。

洗面台にはうがい薬がボトルの三分の一ほど残ったまま放置されている。手を洗いながら思う。なぜこれほどに自分は弛緩しているのか。なぜこれほどに社会は緊張感を失ったのか。今年のクリスマスや年末年始は、二年ぶりに行動制限が解除された。帰省ラッシュの混雑もほぼ例年どおりになるようだ。今となっては懐かしい言葉だが、列車や初詣など日本中で「クラスター」が発生する。でも気にする人は少なくなった。ところが感染者と死者数は過去最高。

オミクロンという新たな変異株が現れた一年前、重症率は低いと推測されながらも感染力が桁違いに強い可能性があり、医療崩壊を招くとの見方が強かった。この時期には海外の急拡大を受けて、政府は外国人の新規入国を原則禁止とした。もちろんウイルスは防げなかった。でも少なくとも、社会(と僕自身)はもっと緊張していたはずだ。

洗った手をタオルで拭きながら思う。何だかとてもちぐはぐだ。

ただし見方を変えれば、これほどに新型コロナに対する社会の緊張度が弛んでいるのに死者数と感染者数が第七波のピーク時をやや上回る程度なのだから、オミクロン株が弱毒化されていることは確かなのだろう。

過ちはくりかえされる

思い出してほしいのだけどコロナ禍が始まった三年前、陽性になるということは命の危険を意味していた。現役力士や著名なコメディアンが新型コロナで逝去したとの報に、僕たちは（銃口が自分にも向けられているように感じながら）大きな衝撃を受けたはずだ。

そうした感覚は明らかに鈍化している。感染者は今後も増えるだろうが、社会は集団免疫を獲得し、ワクチン接種済みの人も加算すれば、その後の感染は恒常的に低いレベルに抑えられる。病院スタッフや公衆衛生担当者の日常はまだ過酷だが、一般の人々は普通の生活に戻ることができる。

……これは現時点における楽観論。オミクロン株が最終形であるかどうか、それは誰にもわからない。長期的に見ればウイルスは弱毒化するが、仇花的に強毒化したウイルスが現れる可能性は今後もゼロではない。いや必ず現れる。アメリカでは今、オミクロン株が変異したXBB・1・5による感染が急速に拡大している。

いずれにせよ、スペインインフルエンザのウイルスが今も変異しながら生き残っているように、変異したウイルスや亜種は確実に残る。でもパンデミックについては、終わりの時代が始まっていると見ていいだろう。

気になるのは中国だ。二〇二〇年一〇月の中国共産党大会でゼロコロナ政策の成果と継続を強調していた習近平政権は、一二月七日にコペルニクス的に転回した。たった一晩で「全国民にPCR検査が必要」は「全国民にPCR検査は不要」へと変わり、行動追跡アプリの運用も中止となり、全面的な行動制限やロックアウトはほぼ解除された。

しかしウィズコロナ移行への準備が不十分なままゼロコロナ政策が解除されたことで、死者と感染者は蓋が外れたように一気に増えた。北京や上海など大都市では、行動制限は解除されたのに、感染に脅えた市民たちは自発的に家にこもり、街から人が消えた。ところが火葬場には長蛇の車列ができ、医療体制は逼迫して薬局では抗原検査キットや解熱剤などを買い求める人が急増して品切れが続発し、多くの大手銀行やレストランなどは従業員たちの感染拡大で臨時休業を発表している。

習近平政権がこれほど急激に方針を転換した理由は、白紙運動などゼロコロナ政策に対する人民の激しい反発が拡大することを恐れただけではなく、長期にわたるロックダウンで失業率が上昇して不動産市況が悪化するなど、経済が破綻しかけたことも要因だろう。

地方政府の財政も、新型コロナ後は深刻な状況に陥っている。

ゼロコロナ政策を解除してから一八日が過ぎた二〇二二年一二月二五日、中国国家衛生健康委員会は中国全土における二四日の感染状況を発表した。新規感染者数は二九四〇人で、死者数はまさかのゼロ。さすがにこれは、実態を隠蔽しているとして国内外から大きく批判された。

スペインインフルエンザがあれほどに拡大した理由のひとつは、戦争中であったために各国が情報を公開しなかったからだ。まして今の世界における中国の存在は、人流的にも経済的にも影響は計り知れない。二〇一九年に武漢から新型コロナの感染が世界に広まったときも、習政権が適切な情報公開を怠ったことで、感染防止や水際対策など世界各国の初動の遅れと混乱を招いた。たった三年前だ。しかも同じコロナ禍。なぜ同じ過ちを何度もくりかえすのか。なぜ失敗を認めて改善しないのか。

見えない領域

新型コロナは平時の矛盾や問題点を拡大し、さらに増幅する。その視点に立てば、今回の中国におけるゼロコロナ政策と転換による混乱と惨状は、独裁的で専制的な一党支配という政治体制の矛盾と問題点を、まさしく露わに示している。

ただし、露わにされているはずなのに、なぜか不可視のままになってしまっている領域は必ずある。つまり、見ているのに見ていない。……わかりづらいかな。カメラのファインダーでいえば、フレームに入っているのにフォーカスされていない。ピントが合ってないから気づかない。

……やっぱりこれもわかりづらい。具体的な例を挙げよう。安倍晋三元首相を筆頭に主に自民党の国会議員が旧統一教会の式典に祝電を出したとか出席したとかの情報は、銃撃事件が起きる一〇年以上前から、メディアの片隅にいる僕も時おり見聞きしていた。情報としては知っていた。

でもこれがニュースとして報道されない事態に、いつのまにか馴れてしまっていた。自民党と関係が深い宗教組織は、神道系の保守宗教団体をコアにして結成された日本会議など他にも複数あり、その式典やシンポジウムなどに安倍元首相や他の議員たちは当たり前のように参加したりビデオメッセージを寄せたりしている。被害者の声がほとんど報道されないこともあって、旧統一教会はそうした宗教組織のひとつであるような感覚に陥っていた。

これは僕も含めて、多くのメディア関係者も同じだろう。そして、当人の安倍元首相も含めて自民党の議員たちも、同じように旧統一教会との関係を続ける状況に馴致されていて、これが良からぬことだとの認識は薄かったはずだ。

今になってメディアは、安倍元首相の祖父である岸信介が最初の接点であるなどと報じているが、これだって決して隠されていたことではなく、旧統一教会関連会社などから出版された書籍や新聞には当たり前のように記されているし、調べればすぐにわかることだった。自民党の歴代政権と国際勝共連合が長く蜜月関係にあること、そして国際勝共連合の母体が旧統一教会であることも、メディア関係者に限らず多くの人にとっては自明のことだった。

旧統一教会はこれまでも、合同結婚式や霊感商法などで、何度もメディアを賑わせていた。でも政治や自民党との関係は、ほとんど報道されてこなかった。その理由は何か。政権与党に対するメディアの忖度や萎縮が障害となったのか。多少はあるかもしれない。でも多少だ。主因ではない。だって仮にそうならば、政権与党は今も変わらず自民党なのだから、号砲が鳴ったかのような今の報道状況を説明できない。言葉にすれば例外状態の恒常化。その反作用としての現在の過剰すぎる報道と社会の反応については、紙幅がないのでここでは触れない。おそらくは『定点観測』シリーズのラストとなる今回のこの原稿で僕が言いたいことは、不可視の領域はこの問題だけではなく、他にもたくさんあるということだ。

馴致と適応

なぜ不可視な領域が生まれるのか。ここからは僕の仮説。話半分で読んでほしい。不可視な領域が生まれるメカニズムは、人類の進化と関係がある。アフリカで発症した人類の祖先は、進化の過程を経ながらアフリカを出て、テリトリーを世界中に拡大した。現生人類は北極圏で暮らすこともできるし、熱帯雨林のジャングルや広大な砂漠にも営みはある。人類と長く共存して多くの品種が作られたイヌは例外として、こんな生きものは他にはいない。

つまり人類の環境への馴致能力と適応能力は、過剰なほどに強い。

これは僕たちのアドバンテージだ。新たな気候や風土に適応して自らを馴致できたからこそ、人類はこの地球でこれほどに繁栄できた。

馴致や適応する能力が発達した理由は、群れて生きることを人類が選択したことと無関係ではないはずだ。集団で生きるためには環境に自分を馴致するだけではなく、周囲の人たちと調和しなくてはならない。波風立てるばかりでは共同体から排除される。

群れる生きものは他にもたくさんいるけれど、直立二足歩行を選択した人類は、空いた両手で道具を使うことが可能になり、刺激された大脳が発達して、表情筋が豊かになり言葉も獲得した。高度なコミュニケーションが可能になって神話や禁忌など宗教的な幻想を共有し、原始共同社会が構築された。群れは全体でひとつの生きもののように動く。足並みをそろえる。同じ角度に視線を送る（ホモサピエンスが白目を外に露呈したことの意味は大きい）。同調的なバイアスが常に働いている。

こうしてエアポケットのように不可視な領域が生まれる。ここに必然性や因果は必要ない。たまたま何人かが目をそむけたことで、いつのまにか全員が目をそむけているケースが多い。明らかに見るべき価値のないものは多い。でも目をそむけることで弊害を生じていることも、旧統一教会問題のように少なくない。

これを防ぐためには視点を変えること。とりあえず周囲に馴致はしても、決して埋没しないこと。個の視点や意思を保つこと。

……言葉にすることは容易いけれど、群れて生きることを選択した人類には、なかなかこれができない。特に東アジアは集団性が高い。さらに、和を以て貴しとなすことを美徳とする日本は、サッカー・ワールドカップ観戦後にゴミを拾って帰るサポーターたちが象徴するように、集団性が突出している。念を押すが、ゴミ拾いそのものは決して悪いことではない。でもそのとき、ゴミを拾わないと帰りづらいという同調圧力が働いていたことも事実だと思う。

元首相銃撃事件が旧統一教会問題をあぶり出したように、戦争や災害や事件など予期せぬ事態は強圧的に視点を変える。もちろんパンデミックも。その影響は社会全般に及ぶが、個人にとっても大きい。

新型コロナ陽性になった

二〇二二年七月、僕は映画のロケハンのために京都にいた。クランクインの予定は八月だが、朝鮮人虐殺と被差別部落問題がテーマに重なるこの映画に、出資する企業や映画会社は少ない。クラウドファンディングで予算の半分近くを達成はできたけれど、この時点でもまだ、制作資金は目標額に達していない。でも準備を始めなければ間に合わない。いわば見切り発車だ。

ロケハンのメンバーは、僕以外にはプロデューサーが二人と助監督が二人、制作部と美術部がそれぞれ一人ずつ。全員男。ジェンダーバランスは最悪だ。

感染リスクは承知しているがホテルに泊まる余裕などないから、宿泊は毎晩ユースホステルの大部屋だ。東京からの移動も一台のワゴン。それもロケ車ではなくスタッフの誰かの車だ。

五日間ほどのロケハンを終えて帰京してから数日後、スタッフたちとの打ち合わせの場で異変が起きた。まずは咳。かなり激しい。この時点で他に症状はないが、クランクインまで二週間を切っている。打ち合わせを切り上げて、ネットで検索したPCRセンターに初めて行く。

まずは抗原検査。結果は一五分ほどで出る。陰性だ。でもセンターのスタッフから、抗原検査は精度が劣るのでPCR検査もやるようにと言われる。ならば最初からPCR検査だけでいいじゃないかと思うけれど、精度が低くても早く結果を知りたいとの需要もきっとあるのだろう。

PCRの検査結果がわかるのは二四～四八時間後。いったんは打ち合わせの場に戻るが、咳はますますひどくなり、何となく熱っぽくなって、打ち合わせを途中で切り上げて帰宅する。この時点で体温は三七度五分。咳は収まらない。風邪かインフルエンザか新型コロナなのか、今のところはわからない。とにかく早めにベッドに入る。

一晩寝たら、体温はさらに上がっていた。三八度五分。平熱が低いので、けっこうつらい。とにかく寝て過ごす。咳は絶え間なく続き、そのせいかあばらが痛い。夜にＰＣＲ検査の結果がわかる。陽性だ。

僕にとっては初めての新型コロナ感染。病院には行かなかった。特別な治療法があるわけじゃないし、この程度の症状なら受診する意味はないと考えたのだ。スタッフから連絡が来る。ロケハンに行った七人のうち、（僕も含めて）五人がほぼ同じタイミングで発症していた。最後の夜に、打ち合わせと夕食を兼ねて四条河原町の居酒屋に行ったメンバーだった。

この翌日、咳はほぼ収まった。熱も平熱だ。発症してから三日で回復した。症状としては風邪とほぼ同等。でも感染力の強さは実感した。スタッフたちの症状も（もちろん個人差はあるが）、比較的軽症で済んでいる。これで抗体を獲得できるのなら、ロケ直前とはいえまだ数日の余裕があるこの時期に感染して、むしろ僥倖《ぎょうこう》と捉えるべきかもしれない。

ただし問題は撮影本番だ。作品は群像劇だから、いちばん多いときには一〇〇人以上のスタッフとキャストが京都に集結する予定だ。確率的には、撮影期間中に誰かが発症しても不思議はない。いや不思議がないどころか、誰も発症しないほうが不自然だ。もしも一人が発症したならば数日で感染は広がる。撮影どころではなくなる。予算が潤沢ならば撮影の延期はできるが、この映画ではそれができない。つまり誰かが発症したその瞬間に、僕にとって初めての劇映画制作は中止となる。

悩んでも仕方がない。もちろんマスク着用の徹底や手の消毒などできることは最大限にやるけれど、あとは天命に任せるしかない。

結論から書けば、一カ月にわたるロケのあいだ、スタッフ、キャストを含めて発症者は一人も出なかった。いや一人だけ制作スタッフがクランクインして数日後に発熱したが、プロデューサーは彼に「検査は受けるな」「病院にはまだ行くな」「ホテルの部屋から出るな」と厳命した。このプロデューサーも、僕と同じタイミングで発症している。数日で回復する可能性があると考えたのだろう。

そして思惑どおり、制作スタッフは数日で症状が治まり現場に復帰した。風邪だったのか、それとも新型コロナだったのか、それはもう誰にもわからない。とにかく他に発症した人はいない。ある意味で奇跡ですと助監督たちは言った。僕もそう思う。資金はないけれど運だけはあるようだ。

何を食べてもコロッケの味

でも実は、僕にとっての新型コロナ感染は、ロケが終わりかけているこの時期もまだ続いていた。味覚障害だ。感染後しばらくは気づかなかった。クランクインして一週間が過ぎるころ、ようやく違和感に気がついた。つまりしばらくは馴致されていた。

味覚障害とは何か。生理学的には、甘味、酸味、塩味、苦味、うま味の五味が基本味。このどれか、あるいはすべてが減退する症状が味覚障害だ。何を食べても美味しく感じなくなったり、何も食べていないのに口の中に苦味や塩味などを感じたりするといった症状も含まれる。

僕の場合はどの症状か。実は一般的な味覚障害の定義には微妙に当てはまらない。何を食べても同じ味になるのだ。どんな味か。コロッケだ。それもコンビニ弁当の中に半分切って添えられている冷めたコロッケ。

冗談だと思われるかな。でも事実だ。しばらく気づかなかった理由は、そもそも低予算映画なので、ロケ弁はまさしくコンビニ弁当に近いものが多かったからだろう。でも時おり、主演級の俳優が昼食用に豪華な弁当を人数分差し入れしてくれる。最上級の牛肉を調理した焼肉弁当のときもあったし、豪華な幕の内弁当のときもあった。

スタッフたちはむさぼるように高級弁当を食べている。僕も最上級牛ロースを口に入れる。そのとき気がついた。これは牛ロースじゃない。コンビニ弁当の冷えたコロッケだ。

顔をしかめている僕に、どうかしたのかと助監督の一人が訊いてきた。状況を説明したら、良かったですねえ、と真顔で言った。だって森さん、これからはライスだけでおかずがなくても満足できるじゃないですか。

まあ確かに。でも毎食はつらい。しかも精肉店で売っている揚げたてコロッケではなく、コンビニ弁当に添えられている冷えたコロッケだ。プロデューサーの一人はわざわざネットで検索して、「世界中に感染は広がっているけれど、こんな症状はおまえだけだ」と笑っていた。

ただしこの時期は、僕も一緒に笑っていたと思う。つまりこれは、手に触れたものをすべて黄金に変える能力を与えられたミダス王のコロッケ版だ。なぜよりによってコロッケなんだ。キャビアとか最上級サーロインでよかったのに。でも毎食ではやっぱり飽きるかな。物語のラストにミダス王は最愛の王妃を抱きしめてしまって激しく後悔するが、僕はこのさき、何を口に入れて悔やむのだろう。

深刻にならなかったことには理由がある。新型コロナ後の後遺症として発症する味覚障害のほとんどは二週間前後で回復すると、この時期には多くの医療関係者や専門家が言っていたからだ。長くても一カ月だ。ならばロケが終わるころには回復しているはずだ。

幸いなことに一人も感染者が出ないまま九月半ばに撮影は終わり、帰京してしばらく休んだ後で編集作業が始まり、それもひと段落して現在である一二月下旬、味覚障害は続いている。やっぱりコンビニ弁当の冷めたコロッケだ。

ただし、すべてではない。野菜やフルーツはほぼ本来の味がするようになった。魚もぎりぎり。肉系はすべてダメだ。あとは天ぷら、お好み焼き、ラーメン。こうしたメニューのほとんどは、肉ほどではないが口の中で瞬時に冷めたコロッケとなる。中華の餡かけの餡もダメだ。ということは炭水化物なのだろうか。でも白米は普通に白米だ。パンも大丈夫。ならば動物性たんぱく質なのか。それとも脂質なのか。でもこのあいだ回転寿司で食べた中トロはコロッケにならなかった。

……こんな記述は、ほとんどの人にとって読む価値はない。それは書いている本人が誰よりもわかっている。ならばなぜ、ぐだぐだとこんなつまらないことを書いてきたのか。それはひとえに、以下のことを言いたかったからだ。

新型コロナは風邪ではない。絶対に舐めたらダメだ。

オミクロンについていえば、その感染力は圧倒的だし、後遺症もバカにはならない。コンビニ弁当の冷えたコロッケの半切れと言うとバカみたいだけど、でも長く続けばけっこう深刻だ。

パンデミックはもうすぐ終わる⁉

もうすぐ二〇二二年が終わる。引き続いたコロナ禍とロシアによるウクライナ侵攻と安倍元首相銃撃事件の一年だった。その年末ぎりぎりに、岸田政権による原発政策の見直しと防衛費増額と敵基地攻撃能力の保有が閣議で決定された。閣議とは何か。閣僚たちの密室会議。その閣僚たちは組閣以降、すでに四人が様々な不祥事で交代している。

原発政策の見直しを具体的に書けば、再稼働の推進と次世代型原子炉への建て替え、さらに最長六〇年と定められてきた運転期間の延長。これらの要素が示すことは、二〇一一年の東日本大震災時に起きた福島第一原発爆発の衝撃の忘却だ。

防衛費をGDPの二%にするならば、日本はあの戦争の惨禍を忘れないと決意した憲法九条を掲げながら、アメリカ、中国に次いで世界第三位の軍事国家になる。すべての戦争は自衛意識から始まると深く記憶したはずなのに、敵が攻撃してくると判断したなら先制攻撃は正当であるとする敵基地攻撃を正当化する。つまり戦争のメカニズムの忘却。あの戦争もアジアを欧米列強の脅威から救うことを大義としていたことを忘れている。

これを個人に喩えれば、自分の失敗や挫折、誰かへの加害は都合良く忘れるけれど、長い生涯で何度かはあった自分への称賛は決して忘れない人。

どうぞ好きに生きてください。ただしそんな人とは、僕は絶対に仲良くなれない。だって事あるごとに、「俺は世界から称賛されているんだよ」とか「どうしてこんなに世界から好かれているのかしら」などと口走る人なのだ。

パンデミックはもうすぐ終わる。この三年のあいだに起きたロシアによるウクライナ侵攻や中国のゼロコロナ政策の失敗、アメリカの議事堂襲撃事件などは、専制的で独裁的な政治の失敗を如実に示している。

それを言い換えれば、新型コロナによって高揚した集団化とその副反応といえるだろう。結果として身体に害をなす副反応は抑え込んだ。僕たちはたくさんの失敗をした。挫折もあった。自分たちの失敗や挫折を直視する。記憶する。傷だらけで前に進む。この原稿を書いているうちに年が明けた。二〇二三年。おせち料理の一部は相変わらず冷えたコロッケの味だけど、少しだけ回復しているような気もする。

行きつ戻りつではあるけれど、何度も道に迷ったり転んだり滑ったりしているけれど、この社会と僕たちは、少しずつ前に進んでいると信じている。

（二〇二三年一月）

あとがき

コロナ禍は長く続くような気がします。私がおそれているのは、忘却と風化です。これだけ、政府がどうしようもない状況であるにもかかわらず、「馴致能力」の高さゆえに、そのどうしようもなさを忘れたり、なかったことにしてしまう可能性が、日本人には「ある」と強く考えています。だからこそ、しつこいくらいに記録し、忘れさせない努力が必要なのではないか。書籍には、その役割を担うことができるのではないか。そう考えるにいたりました。

ならばその期間、多くの専門家や識者に年に二回ほどの間隔で定点観測として寄稿してもらって、書籍にするというプランを考えています。つきましては森さんには、「編著」というポジションで、専門家や識者に声をかける役回りをお願いできないでしょうか。もちろん実務作業は私がやります。

こんな内容のメールが論創社の谷川茂から届いたのは、二〇一九年四月。ただし実は、この頃に使っていたPCがクラッシュしてしまったので、この文章は正確じゃない。だいたいこんな感じだったと思う。

谷川からのメールを読んでまず、新型コロナはそこまで続かないよなあ、と考えた。『定点観測』第一弾の原稿にも書いたけれど、この時期の僕は新型コロナを軽視していた。舐めていた。

だから谷川には、基本的には了解、と返信したはずだ。「基本的には」と含みを残した理由は、コロナ禍は長くても一年足らずで終わるのでは（ならば定点観測の意味はほとんどない）と思ったからだ。

ここに書くまでもないけれど、僕の妄想はあっさりと外れる。二〇一九年一二月初旬に中国の武漢市で第一例目の感染者が報告されてから三年強が過ぎて、ようやく今（二〇二三年三月）、新型コロナは終焉の時代を迎えようとしている。

もちろん、まだこれから何があるかわからない。現状のオミクロン株やXBB1・5が圧倒的に強毒で感染力の強い新型ウイルスに変異して、新たなパンデミックの時代が始まる可能性だってゼロではない。

でもそれを言うのなら、インフルエンザのウイルスだって変異する可能性は常にある。

つまりそのレベルにまで脅威は低下した。少なくともこの三年のような状況にはならないと思う。

厳しい自然環境が生物に無目的に起きる変異（突然変異）を選別して進化に方向性を与えると唱えたダーウィニズムから派生したネオダーウィニズムは、獲得形質の遺伝を否定する。それはもう疑いようがない。でも習慣や技能、物語など社会的で文化的な情報であるミームは、遺伝はしないけれど継承はできる。この三年の体験は人類にとってどのような意味を持つのか。僕たちは進化できるのか。それはたぶん、終わりかけた今をどう過ごすかにかかっている。

ずっと並走してくれた谷川にはあらためて感謝。そして今、この本を手にしてくれているあなたには、もちろん最大限の感謝。

二〇二三年三月一〇日

森達也

初出一覧

I

私たちが立ち会う『幼年期の終わり』（「週刊金曜日」二〇二〇年四月二四日号）

禍福は糾える縄の如し（森達也編著『定点観測 新型コロナウイルスと私たちの社会 二〇二〇年前半』論創社）

II

ポストコロナの社会に求められているもの（「創」二〇二〇年七月号）

私たちはずるずると泥道を滑り落ちている（定点観測 新型コロナウイルスと私たちの社会 二〇二〇年後半』論創社）

III

マスクとステイホームと同調圧力（「潮」二〇二〇年一二月号）

甘ったるくてポエジーで楽観的な未来への視点を修正する（森達也編著『定点観測 新型コロナウイルスと私たちの社会 二〇二一年前半』論創社）

IV

ニヤニヤと書くかニコニコと書くか、あなたは無意識に選択している（「Journalism」二〇二一年四月号）

忘れたくない。馴れたくない。（森達也編著『定点観測 新型コロナウイルスと私たちの社会 二〇二一年後半』論創社）

V

安倍元首相の銃撃とコロナ感染の第七波（森達也編著『定点観測 新型コロナウイルスと私たちの社会 二〇二二年前半』論創社）

道に迷い、行きつ戻りつ、前に進む（森達也編著『定点観測 新型コロナウイルスと私たちの社会 二〇二二年後半』論創社）

森 達也（もり・たつや）

広島県呉市生まれ。映画監督、作家。テレビ番組制作会社を経て独立。98年、オウム真理教を描いたドキュメンタリー映画『A』を公開。2001年、続編『A2』が山形国際ドキュメンタリー映画祭で特別賞・市民賞を受賞。佐村河内守のゴーストライター問題を追った16年の映画『FAKE』、東京新聞の記者・望月衣塑子を密着取材した19年の映画『i－新聞記者ドキュメント－』が話題に。10年に刊行した『A3』で講談社ノンフィクション賞。著書に、『放送禁止歌』（光文社知恵の森文庫）、『「A」マスコミが報道しなかったオウムの素顔』『職業欄はエスパー』（角川文庫）、『A2』（現代書館）、『ご臨終メディア』（集英社）、『死刑』（朝日出版社）、『東京スタンピード』（毎日新聞社）、『マジョガリガリ』（エフエム東京）、『神さまってなに？』（河出書房新社）、『虐殺のスイッチ』（出版芸術社）、『フェイクニュースがあふれる世界に生きる君たちへ』（ミツイパブリッシング）、『U 相模原に現れた世界の憂鬱な断面』（講談社現代新書）、『千代田区一番一号のラビリンス』（現代書館）、『増補版 悪役レスラーは笑う』（岩波現代文庫）など多数。

論創ノンフィクション 037

COVID-19
僕がコロナ禍で考えたこと

2023年5月1日　初版第1刷発行

編著者　森 達也
発行者　森下紀夫
発行所　論創社
東京都千代田区神田神保町 2-23　北井ビル
電話　03（3264）5254　振替口座　00160-1-155266

カバーデザイン　奥定泰之
カバーイラスト　東海林ユキエ
組版・本文デザイン　アジュール
校正　小山妙子
印刷・製本　精文堂印刷株式会社
編　集　谷川 茂

ISBN 978-4-8460-2199-3 C0036